D0445123

L'Aiguille

Arrigo Lessana

L'Aiguille

récit

RETIRÉ DE LA COLLECTION UNIVERSELLE
Bibliothèque et Archives nationales du Québec

DENOËL

© Éditions Denoël, 2010.

À Charlotte et Angelo

À Emmanuelle

Sono stufo, j'en ai marre.

Il n'y a pas de mot en italien pour dire celui qui se lasse — ma mère l'a inventé. Elle me disait : « *Sei un stufone!* » J'étais celui qui se lasse — avec les filles probablement.

En salle d'opération, il y a celui qui aide : l'aide opératoire. Quand la situation était tendue, Alain Carpentier, un chirurgien devenu célèbre, disait d'abord : « Ne m'aide pas. » C'était une façon d'éliminer toute distraction, de mettre chacun à son poste. Aider, mais laisser au chirurgien la maîtrise de ses décisions ; aider, mais pas plus.

Moi aussi, bien plus tard, alors que j'opérais à Lugo di Romagna, j'ai inventé un mot en italien. À propos d'un aide qui en faisait trop. « *Non fare l'aiutone* », lui ai-je dit pour le calmer, pour retrouver l'équilibre sur le champ opératoire. *Aiutare*, aider ; l'*aiuto*, l'aide, l'aide opératoire. *Aiuto*, c'est aussi « au secours ». « *L'aiutone* », ça n'existe pas, mais ça tombait juste.

D'aussi loin que je me souvienne, j'ai toujours voulu quitter ce métier. Je n'étais maître ni des jours ni des nuits. Je rêvais d'un métier de liberté, comme d'une vie dans le civil. Le temps filait à un rythme militaire. La salle d'op., et le sommeil. La fatigue, toujours présente. Il m'est arrivé d'aller dormir une demi-heure au cours d'une opération.

Le chirurgien, les aides, les jeunes chirurgiens, l'instrumentiste — nous étions nombreux autour du patient lorsque j'ai commencé. C'était si long. Et imprévisible. L'inquiétude était là, toujours. Nous ne savions jamais comment allait se terminer l'intervention. Et l'issue favorable était vite oubliée, alors que les revers, eux, persistaient.

Nous n'avions pas compris grand-chose. Nous entrevoyions seulement les mécanismes de la survie ou de l'échec. Tout restait à découvrir. Avec nos instruments simples, nous agissions sur une réalité complexe. Nous nous livrions à une expérimentation prudente, entre l'action et la réponse de l'organisme.

Nous avions à tirer les leçons de l'expérience, à apprendre au plus près d'elle, avec la part de non-savoir que cela exige. Il faudrait garder une certaine naïveté devant les événements, débusquer les préjugés, analyser les échecs, associer le doute à l'optimisme. Confronter les hypothèses nouvelles à la réalité. Les mettre en danger — se mettre en danger. Regarder les patients en face. Et pouvoir se regarder en face, aussi, soi.

L'invention de la chirurgie du cœur et sa transformation se sont effectuées rapidement, en quelques décennies, par vagues, bouleversements, changements de points de vue — et avec la lenteur qu'impliquent les tâtonnements, les revers, les hésitations, les petits pas, jour après jour. Comme une vie.

Charles Dubost. Un homme robuste à la peau mate, la chevelure blanche lorsque je fis sa connaissance. Les yeux vifs, la repartie saisissante, il tenait ses assistants sous son charme. C'est lui qui a tenté parmi les premiers d'opérer le cœur des gens, à cœur fermé — par l'intermédiaire d'instruments, sans visibilité —, puis à cœur ouvert. Il avait les qualités pour s'affronter à l'inconnu. Chirurgien élégant — « le style est l'homme même », disait Buffon. Ceux qui l'ont connu ont hérité de sa manière, de ses gestes ; encore aujourd'hui, on en reconnaît certains. Il y avait de la magie dans ses mains, un désir de réussite têtu qui ressemblait à un pacte avec la chance.

Pourtant, il avait sérieusement douté. On m'a rapporté ses propos lors d'un congrès à Toulouse, au début des années 1960 : « Nous avons essayé de réparer le cœur grâce à la chirurgie, mais décidément nous n'y parvenons pas. » Découragé, on arrête : trop de drames.

Je me souviens de lui alors que j'étais interne dans son service, des années plus tard, sortant de salle d'opération.

« J'ai fait ce que j'ai pu », disait-il, les mains tremblantes — ses mains puissantes et justes —, aux parents d'un adolescent auquel il venait de remplacer la valve aortique, congénitalement malade, et qui allait rester des semaines entre la vie et la mort.

Charles Dubost, c'était comme de Gaulle : tout le monde le connaissait. Les motards, si vous leur disiez : « Je suis assistant de Charles Dubost », ils vous accompagnaient.

Il avait réussi le premier remplacement de la bifurcation de l'aorte abdominale avec Jean Oudot, le chirurgien qui accompagnait l'expédition de Lachenal et Herzog à l'Annapurna.

On peut pratiquer la chirurgie comme l'alpinisme, en cherchant la liberté dans la contrainte, en avançant lentement, méthodiquement, avec la sécurité d'un fil.

Mon rôle était celui d'un spectateur attentif. Il n'y avait dans ce service hospitalier prestigieux aucune familiarité. Les nombreux assistants, professeurs, chefs de clinique croisaient leurs recherches, expérimentations au laboratoire, interventions périlleuses, autour d'un patron à l'autorité absolue, qui donnait à cette maison une âme particulière. La hiérarchie était acceptée, les rivalités assumées, l'amitié aussi, parfois.

S'il fallait s'entretenir avec le patron, l'accès à son bureau était particulier à chacun. Certains parlaient debout près de la porte, d'autres s'avançaient, les privilégiés s'asseyaient en face de lui, un seul appuyait ses sabots de salle d'opération au montant de son bureau — il lui succéderait. Pour la plupart, le dialogue, toujours bref, avait lieu sur le pas de la porte.

J'étais là depuis six mois, il ne m'avait toujours pas repéré. Quand je lui demandai de prolonger mon stage, il interrogea une anesthésiste qui passait par là : « Qui c'est, celui-là ? » Six mois plus tard, il me proposait un poste de chef de clinique. J'en fus fier, content, mais le piège se refermait. Plus de questions à partir de là. Ce serait tôt le matin, jusqu'à tard le soir, parfois la nuit, et le lendemain. Je serais là et bien là, tous les jours, comme mes collègues. J'avais rêvé d'une vie de liberté, j'ai connu l'étau de l'inquiétude au jour le jour.

Charles Dubost avait opéré le père Damien Boulogne en 1968. Transplantation du cœur, réussie pour la première fois en France.

Je n'étais pas là, on me l'a raconté : un assistant avait mené le travail expérimental sur des chiots. Par sécurité, il doublait les sutures. C'était prudent, mais c'était long. Charles Dubost avait approuvé le protocole.

Pourtant, lorsqu'il opère le père Boulogne, il ne le suit pas. Il fait des sutures simples, droit au but, sans histoires. Il fallait aller vite, ne pas avoir à y revenir.

Le cœur du père Boulogne a tenu un an et deux mois puis il s'est arrêté, rejet. Le père Boulogne, les gens l'aimaient, Charles Dubost aussi, qui vécut sa mort dans une grande tristesse. Il ne poursuivrait pas les transplantations tant qu'un fait décisif ne serait survenu, disait-il. Mais quand les immunosuppresseurs, qui limitent le phénomène de rejet, sont apparus, dans les années 1980, il n'a pas repris. Peut-être doutait-il de la solidité du nouveau continent que certains croyaient voir s'ouvrir devant eux.

Faire d'un mort un survivant, c'était entrer dans un nouveau monde. Jusque-là, l'organisme ne pouvait assurer sa survie que par ses propres moyens. Désormais, on pourrait dire aux gens qu'ils allaient survivre, selon quelle probabilité, dans quelles conditions. En prélevant un organe vital pour le transmettre, le chirurgien devenait un passeur. Mais de quel passage s'agissait-il ? D'un passage généreux ? compassionnel ?

Parler à la famille du mort — il est jeune, elle est jeune, c'est un accident, souvent —, c'est brutal, toujours. Il faut aussi juger du moment de la mort, se référer aux critères de la neurologie : deux électroencéphalogrammes plats. Le cœur bat, il fonctionne, mais le patient est mort ; pour lui il n'y a plus d'espoir. L'espoir se tourne de l'autre côté, vers le receveur.

Au début des années 1970, ces histoires de transplantation du cœur rencontrèrent un vif intérêt. Les journalistes voulaient percer le secret des salles d'opération. Déjà mystérieuse quand on parlait de chirurgie à cœur ouvert, la technique frôlait la magie lorsqu'on envisageait de transmettre la vie par le déplacement d'un organe porteur de qualités si essentielles — physiques, mais aussi symboliques. Je me souviens de la une de *France Soir* intitulée : « Mes lunettes ! Mes lunettes. » Le chirurgien demandait ses lunettes grossissantes à l'infirmière et le journaliste y voyait du sensationnel ! Mais au-delà de l'exploit chirurgical supposé — les transplantations du cœur ne comportent d'ailleurs pas de difficultés techniques particulières —, ce qui fascinait, c'était ce cheminement en équilibre sur la frontière entre ce qu'on peut faire ou non. D'un côté, la part solaire : le receveur, cette chance inespérée, l'espoir d'une vie nouvelle, peut-être la santé. De l'autre, la part obscure : le don de l'organe, au bord de la tombe, l'heure de la mort consignée, le destin dit, expliqué dans l'urgence à la famille, soulagée peut-être d'approuver ce passage, l'idée de « sauver », de jouer un tour au destin — il, elle disparaît, quelqu'un survivra peut-être. Il y a une vie au-delà de la mort.

Une image me ramène à la part obscure : au festival international de photojournalisme 2007 de Perpignan, une photo de Samuel Bollendorff, en Chine, cadre une mère portant sur sa poitrine un portrait de son fils. La légende nous dit qu'il s'agit de Chen Tao, un jeune homme que les autorités n'ont pas seulement condamné à mort, mais dont ils ont aussi vendu les organes sans en référer à la famille.

Pour habiter un monde nouveau, il faut pouvoir l'imaginer. Or l'imagination se décourage, parfois. Et pouvait-on pénétrer là sans ritualiser le passage ? Peut-être aurait-il fallu inventer des cérémonies où les pleurs côtoient l'espoir pour qu'une continuité s'élabore entre mourir et donner la vie. Les chirurgiens auraient-ils dû se transformer en prêtres pour être à la hauteur de la mission qu'ils s'étaient donnée ?

Transplanter un organe de l'un à l'autre, c'est une idée ancienne. Les premières représentations que j'en connaisse datent du xve siècle. Fra Angelico a peint trois tableaux de saint Côme et saint Damien greffant la jambe d'un Noir à un homme qu'ils avaient amputé — un riche marchand toscan dans l'un, un sacristain atteint de gangrène dans l'autre, le diacre Justinien dans le troisième tableau. Avant de subir le martyre en 287, les deux saints exerçaient la médecine pour gagner la foi chrétienne des malades. Ce sont les patrons des chirurgiens.

Au xxe siècle, c'est le cœur lui-même qu'on cherche à échanger. Le premier transplanté du cœur, en décembre 1967, à l'hôpital de Groote Shur, au Cap, était un Blanc, Louis Washkanski. Il recevait le cœur d'une jeune femme blanche, Denise Darvall, accidentée de la route, arrivée aux urgences en état de mort cérébrale ; il survécut dix-huit jours. Un mois plus tard, Chris Barnard réitère l'intervention : il greffe le cœur d'un jeune métis sportif, Clive Haupt, sur un dentiste blanc, Philip Blaiberg. Un symbole au pays de l'apartheid : « Nous avons pris le cœur d'un homme de couleur pour le mettre dans la poitrine d'un Juif blanc que nous avons traité avec du sérum provenant d'Allemagne », déclare le chirurgien. Pour lui, cependant, cet acte symbolique ne marque pas le début de la lutte contre l'apartheid. Certes, il est hostile à la séparation des Blancs et des Noirs, il soigne des enfants noirs dans un hôpital réservé aux Blancs ; cependant, il ne pense pas que « *one man, one vote* » soit une solution pour son pays. Il estime que les Noirs ne forment pas un groupe homogène, mais une multitude de minorités, incompétentes pour diriger le pays.

Après l'opération, l'émotion est immense. L'opinion est enthousiaste dans sa majorité ; les voix discordantes, qui viennent plutôt du corps médical, sont classées à la rubrique des rivalités.

Jacques Monod, que l'on ne peut soupçonner de jalousie, s'insurge contre la « course au cadavre ». Un important médecin de Washington cité par Chris Barnard dira : « J'ai l'affreuse vision de vampires armés de longs couteaux rôdant autour d'une victime d'accident, prêts à lui arracher ses organes dès l'instant où elle sera déclarée morte. » En vérité, le tournant était pris, avec les médias — avec les patients aussi, dont certains allaient devenir des porte-parole de ce succès inattendu. Dorénavant cette possibilité existait, qui créait une nécessité nouvelle : il faudrait désormais répondre à la demande, et on laisserait de côté les conditions — souvent pénibles — de survie, parfois courte, des transplantés. La transplantation du cœur, c'est comme le téléphone portable ou comme le Coca-Cola : personne ne les réclamait avant qu'ils ne pointent leur nez, mais maintenant qu'ils sont là, ils sont indiscutables, ils n'offrent pas de véritable flanc à la critique. On a beau dire que le Coca est un très bon produit pour nettoyer les pièces de monnaie ou que le téléphone portable est capable de vous pourrir un moment de bonheur extatique — à quelques exceptions héroïques près, personne ne résiste.

Charles Dubost a arrêté les transplantations. Il a souhaité ralentir la course en avant, attendre, laisser reposer. Peut-être voulait-on en faire trop, pensait-il. Peut-être était-il saturé d'émotions fortes. Et cette saturation ne serait-elle pas la limite de toute carrière ? Moi-même, je me suis toujours senti conservateur devant le développement des transplantations, m'interrogeant sur les limites de cette avancée plutôt que sur ses bénéfices pour la santé. Le progrès balance toujours entre avantages et inconvénients. Comme une couverture trop courte : elle vous couvre les épaules et vous laisse les pieds au frais, ou bien c'est les pieds qui sont au chaud et les épaules dans le courant d'air.

Trente ans de transplantations du cœur n'ont pas transformé le rapport avec la vie, avec la mort, dans l'imaginaire populaire. Les jeunes morts — il faut être plutôt jeune pour être un donneur valable — ne transmettent pas la vie ou la santé aux mourants. Un style nouveau de solidarité, de générosité, n'est pas advenu. La transplantation a pris sa place, modeste, dans la société, à mesure qu'elle s'effaçait de l'agitation médiatique.

Aujourd'hui, on sait mieux dans quelles circonstances et

à quel moment proposer cette opération. Les chances de survie, la qualité de la vie, le temps à vivre sont mieux évalués. En outre, la transplantation du cœur et les études qu'elle a provoquées ont favorisé le développement des assistances circulatoires, c'est-à-dire des cœurs artificiels, dont il semble bien qu'ils vont progressivement montrer leur efficacité. Elles ont aussi permis de mieux comprendre les mécanismes de l'insuffisance cardiaque.

Charles Dubost n'aimait pas que je raconte cette histoire, je vous la livre quand même. C'est un dimanche au milieu des années 1970. Chef de clinique depuis peu dans son service prestigieux à l'hôpital Broussais, je termine la visite en salle de réanimation quand une femme âgée opérée par lui deux jours plus tôt du remplacement de la valve aortique fait sous mes yeux un arrêt du cœur. À cette époque, comme à la nôtre, c'est une situation grave — euphémisme ; aujourd'hui on dirait « grave de grave ».

La patiente est immédiatement amenée en salle d'opération sous massage cardiaque. Après lui avoir rouvert le thorax, j'installe le plus vite possible la CEC, la circulation extracorporelle, c'est-à-dire la machine cœur-poumons, celle qui va remplacer — au maximum pour quelques heures — le cœur défaillant.

C'est la fin de la matinée. Charles Dubost vient saluer ses patients. Il passe une tête en salle d'opération et me demande :

— Qu'est-ce qu'il vous arrive ?

— C'est Mme Bordenave, que vous avez opérée vendredi. Elle a fait un arrêt. Je l'ai mise en CEC.

— Attendez, j'arrive !

Furieux, le boss, je dirais même énervé. Il se lave, il s'habille. Il est presque chaleureux avec moi, mais furieux.

La première hypothèse que je formule est que la valve artificielle s'est thrombosée, bouchée par un caillot. Pour vérifier ça, il faut ouvrir l'aorte, après l'avoir clampée, c'est-à-dire pincée avec une pince spéciale, un clamp.

Charles Dubost, c'est l'adresse même. Pourtant, ce jour-là, la pointe du clamp dépasse son but : poussée un peu trop loin, elle provoque une plaie de l'artère pulmonaire (la branche droite de l'artère pulmonaire est située juste derrière l'aorte), fragile chez cette dame âgée et sympathique. Nous sommes inondés de sang.

« Aspirez ! » m'engueule-t-il.

Un long caillot a obstrué l'aspirateur. Le geste maladroit de Dubost a fait le diagnostic : il ne s'agit pas d'un dysfonctionnement de la valve artificielle, mais d'une embolie pulmonaire (un caillot de sang qui bouche l'artère pulmonaire). Je disais qu'il avait un pacte avec la chance…

À l'époque, ces opérations sont toujours suivies par un électroencéphalogramme qui nous indique de façon constante l'état neurologique du patient. Après plusieurs heures, la situation se dégrade. Toutes les constantes s'aggravent, la pression artérielle est proche de zéro, mais surtout l'électroencéphalogramme est plat. La malade est morte.

Charles Dubost retourne dans son bureau prévenir le fils

de Mme Bordenave, l'anesthésiste va fumer dans le couloir en laissant le respirateur en marche et je suis chargé de fermer le cadavre, quand je vois sur l'écran la pression artérielle augmenter tout à coup pour se stabiliser progressivement à 12/6. Comme vous, comme moi.

Je fais rappeler le patron.

— Qu'est-ce qu'il se passe ?

— Regardez la pression.

— J'ai dit à son fils qu'elle est morte. L'encéphalo est plat.

— Oui, mais la tension est à 13. Vous devriez lui dire qu'elle est morte mais qu'on la met en réanimation, que son cœur fonctionne encore.

Le lundi matin, Dubost appelle à Strasbourg le cardiologue de Mme Bordenave pour lui donner de ses nouvelles, exposer cet événement étrange. Mais la communication s'interrompt au moment où il dit : « Elle est morte… » Il n'a pas le temps de raconter le début de la résurrection. Et la nouvelle de son décès se répand dans la famille, dans l'entourage…

Or, en réanimation, la situation s'est stabilisée. Puis l'état de la patiente s'est amélioré, peu à peu, des signes de réveil sont apparus, l'électroencéphalogramme s'est enrichi. Trois semaines après, réveillée, Mme Bordenave a demandé un chocolat chaud et des chaussettes : elle avait froid aux pieds. Un an plus tard, elle est revenue dans le service, maquillée et élégante, remercier le personnel pour ses bons soins.

Cette histoire n'entre pas dans le cadre de ce que l'on se raconte dans les réunions scientifiques. La patiente avait défié le savoir communément admis. D'abord elle était âgée et les importantes et durables variations de pression qu'elle avait subies au cours de l'intervention auraient dû lui laisser des séquelles graves. En outre, l'électroencéphalogramme réalisé en continu au cours de l'opération montrait une telle diminution de l'activité qu'il avait été considéré comme plat — et la patiente, à juste raison, déclarée morte. Elle a survécu, et je ne sais pas pourquoi. « Quelle volonté de vivre ! » avait-on dit.

J'ai connu des échecs inexpliqués, rarement des succès aussi mystérieux.

Pour aller d'une consultation à l'autre, d'un examen à l'autre, puis en salle d'opération, puis vers la réanimation, puis vers sa chambre après le séjour en réanimation, le véhicule, c'est le brancard. Un petit lit à roulettes, peu confortable, mais maniable, qui passe dans l'ascenseur, tourne bien dans les coudes à quatre-vingt-dix degrés des couloirs. Pour les conduire, les brancardiers sont souvent costauds, jeunes, beaux. Ils forment une population qui se distingue par son physique dans l'hôpital, un rouage essentiel au fonctionnement et au rythme des événements. Ils ont souvent un mot rassurant, affectueux, joyeux : « Vous êtes entre de bonnes mains, ça ira », lorsqu'ils vous aident à passer sur le lit à roulettes ou qu'ils vous déposent sur la table d'opération. Leurs gestes routiniers accompagnent un moment grave et unique de la vie des gens, ils l'apaisent parfois. C'est presque une embrassade, au-delà des classes sociales, au-delà des mers, des Antilles, du Maghreb, au-delà du périphérique.

Pour les longues distances — vers la radiologie ou

d'autres spécialités, par les sous-sols ou à travers la cour —, il y avait à Broussais un deuxième type de brancards, à grandes roues à rayons et ressorts à lames qui amortissent les secousses dans les nids-de-poule entre les bâtiments. Avec capote et couverture, recouverte d'une toile imperméable pour traverser la pluie et le froid.

Un troisième type de brancard circulait parfois dans l'hôpital, plus discrètement, presque clandestinement, et tristement, métallique celui-là, étroit, lavable au jet d'eau : le brancard de la morgue. « Mort sur table », on disait, et ce n'était pas rare dans les années 1970. On avait tenté tout ce qui était possible, prolongé des heures et des heures l'assistance circulatoire, mais le cœur n'était pas reparti, il avait fallu abandonner. Une fois le cadavre refermé, c'est le brancard métallique qui le conduisait vers la morgue pour la présentation à la famille, les adieux, ou une éventuelle autopsie.

Or il arriva que ce brancard métallique fût installé à la sortie de la salle d'opération, comme prêt à accueillir son mort, alors que l'intervention n'avait pas encore débuté. Cela se produisit même régulièrement, à tel point que Charles Dubost en fut informé. Et le comble était que le honteux brancard n'était jamais là, à l'avance, en vain : chaque fois, il allait servir et prendre le chemin de la morgue.

Le brancardier visionnaire s'appelait Toral. Charmeur, loquace et familier avec tous, aimé des infirmières et des aides-soignantes, au courant des enjeux de chacun et des rivalités, il avait mis au point sa martingale, qui lui économisait un inutile aller et retour. Le poids du patient lorsqu'il le soulevait, son moral, l'épaisseur du dossier qui l'accompagnait, l'équipe, les chirurgiens et les anesthésistes, voire le numéro de la salle d'opération : tout cela lui permettait de jeter son sort. Celui-là n'avait aucune chance : Toral avait placé le brancard métallique à la porte du bloc, bien en évidence, après avoir déposé le patient sur la table et l'avoir confié à l'anesthésiste.

Toral ne se trompait pas. Le brancard métallique marquait le destin de l'intervention. Tout combat devenait inutile. L'idée même de ce savoir souterrain, au-delà de toute superstition, rendait sa présence intolérable.

Dubost le convoqua ; il fut déplacé, fini les transports de brancard, il travaillerait dans un bâtiment attenant au nôtre, à la banque du sang.

Je le rencontrai, quelque temps plus tard, toujours attentif, Toral : « D'où je suis maintenant, me dit-il, je continue à suivre vos carrières, aux uns et aux autres. »

Mon ami Balac, le plus cultivé et le plus brillant de notre génération de médecins, aujourd'hui oublié, vit dans une chambre en face de l'hôpital psychiatrique où il est soigné depuis bientôt trente ans. Il avait été nommé à l'internat dès la première année, avant ses amis — même les fils de patron n'avaient pas fait mieux. Je ne m'étais pas rendu compte, alors, combien, en médecine, la réussite était affaire de relations et de recommandations. À l'oral de l'internat, les candidats arrivaient avec des lettres à la main ; lesdits fils de patron, eux, n'en avaient pas besoin. Rien de tout cela pour Balac. Alors que les plus brillants allaient vers des spécialités comme l'immunologie, mystérieuse et complexe, il décida de devenir psychiatre, quittant la médecine somatique pour son rivage littéraire, avec la psychanalyse en perspective.

Issu d'une famille de la grande bourgeoisie, un oncle amiral, Balac s'était marié sur le porte-avions *Charles-de-Gaulle*, en rade de Toulon ; il avait eu deux enfants. Il parlait de sa mère comme d'une héroïne de la résistance. Rien, chez cet homme passionné par le Verbe, n'aurait pu laisser deviner qu'il quitterait brusquement tout pour s'aliéner à un discours détaché de la réalité, où la formule précède la pensée, où le slogan fait office de raisonnement.

Balac fut chargé par son groupuscule, le PCMLF, Parti communiste marxiste-léniniste de France, de faire sauter la banque de Bilbao à Paris. Pendant ce court épisode de clandestinité, il se fit appeler Ferdinand. Il se savait ainsi doublement clandestin et il coupait ses liens deux fois, faisant disparaître Balac d'une part, gardant d'autre part pour lui-même son admiration pour l'écrivain Céline. Faux secret, petit espace de liberté — mais le virent-ils seulement, ceux de la Révolution, ce nez au milieu de la figure ?

Dans les entrailles de la banque de Bilbao résidaient les germes de l'oppression du prolétariat, avait-on décrété au sommet du groupuscule. Ferdinand passa ainsi le rigoureux mois de janvier 1971 en faction devant la banque, à observer les mouvements, entrées et sorties, pour la hiérarchie du PCMLF. Mais le projet fut abandonné. Pas d'explosion au centre de Paris.

Balac allait voir le psychanalyste Jacques Lacan, certain que celui-ci l'accompagnerait, amoureusement, dans sa danse étrangement désirante, tel saint Jean enveloppant Marie de ses bras aux pieds du crucifié du retable d'Issenheim. Passion de la folie. Il voulait la connaître de l'intérieur, s'aliéner à jamais. Les surréalistes, la drogue, la fascination de la folie… « Dans un mois, m'avait-il dit, je délire. » C'était un projet — je l'avais ressenti comme tel. Nous étions assis à la terrasse d'un bistrot de Montparnasse, le soleil était bas sur l'horizon mais réchauffait quand même le boulevard en cette fin d'après-midi d'automne. J'ai encore la sensation de son enthousiasme. Il avait la voix claire et Lacan semblait complice de cette bonne blague dont je ne voyais pas bien le sens mais dont je percevais la dimension jouissive à travers la confidence. Des années plus tard, parcourant la correspondance de Dostoïevski, je découvris cette phrase à son frère Michel : « J'ai un projet : devenir fou. Que les gens se démènent, qu'ils me soignent, qu'ils essaient de me rendre la raison. » Balac ne demandait pas qu'on le retienne — la chance, les circonstances, ses rencontres lui offraient cette expérience que manifestement je ne pourrais partager. J'étais au bord du trottoir, à quai.

Les années 1970 ont vu les mots se détacher des choses et la violence s'intégrer dans les phrases, les ennemis théoriques devenant des cibles réelles. « En punir un pour en éduquer cent », disaient les Brigades rouges. « Tuer les poules pour effrayer les singes », scandaient les Chinois reprenant un ancien dicton. L'intoxication par la parole est le dénominateur commun des idéologies. C'est le terreau du crime en politique.

Le photographe tournait autour du tas de cadavres. Un char était passé dessus. Il avait du mal à trouver l'angle et la distance. Quel genre d'image ça pouvait faire ? Je voyais bien que la question du style, de la mise en scène — quoi mettre au premier plan ? rien, peut-être — l'agitait. À moins que ce ne fût l'odeur, ce matin-là, à jeun. Ou qu'il eût préféré ne pas être là. Ou bien il se demandait si cet instant n'était pas décisif, une photo qui ferait le tour des agences de presse. Ou rien, une de plus. Je ne me souviens pas si les charniers avaient beaucoup été photographiés à cette époque. Les Bédouins du roi Hussein de Jordanie avaient réglé leur compte à un groupe de combattants palestiniens blessés : giclées de sang à la hauteur des lits, puis les morts avaient été entassés dans la cour. En Jordanie, les Palestiniens représentaient la moitié de la population. Fortement armés, ils avaient semblé menacer le pouvoir en place.

Arrivé tard dans la nuit, débarqué d'un convoi venant de Beyrouth, j'avais dormi là sans rien voir, sans savoir précisément. Et j'étais devant cet hôpital d'Amman, les bras ballants, à observer cet homme au travail, l'estomac serré, nauséeux.

Derrière le photographe, je distinguai bientôt un autre homme, assis sur une pierre, désœuvré, chemise et pantalon kaki. J'allai m'asseoir près de lui, curieux de savoir qui était ce colosse blond, qui paraissait attendre — quoi ?

Le type me répondit dans un anglais où je décelai un fort accent piémontais. Italien, jeune chirurgien de Cuneo. Plus tard, Mario me parla de ses deux passions, l'alpinisme et la musique, plus précisément le violon — Jascha Heifetz était son maître lointain. Il me racontait que son professeur l'engueulait lorsqu'il arrivait à l'école de musique les doigts gourds, après une escalade, au cœur de l'hiver.

Des années après, nous avons gravi l'Argentera, un sommet au-dessus de Cuneo, par la voie Sigismond, une magnifique ligne de crêtes. Initiation abrupte : quatorze heures à chevaucher cette arête rocheuse, le vide sous nos pieds. Escalade interminable, jusqu'au bout de mes forces. Tout à coup, le bruit d'un éboulement. Un chamois apparaît dans le soleil couchant, juste sous le sommet. Il nous le signale. Il y a quelque chose de rassurant et de proche dans son regard. Son œil, dont le souvenir m'est resté vif, percevait ma détresse, j'en reste convaincu — compréhension fugitive, venue de temps anciens. Nous étions solidaires, dans une sorte de continuité animale, lui et moi.

Mario avait voulu rejoindre les rangs des combattants palestiniens, mais sa candidature n'avait pas été retenue. Qu'avait-il, ce type, à vouloir s'engager à tout prix dans un combat qui ne le concernait pas directement ? Le bruit des armes, l'attrait du danger, un souvenir atavique ?

Sa famille était marquée par un étrange destin militaire. Pendant la guerre, à la bataille de Stalingrad, son père, chasseur alpin, avait pris l'initiative de dégager le détachement qu'il commandait des lignes adverses. Ayant compris que la situation était désespérée, il avait décidé de ramener les rescapés de son bataillon à Cuneo, ce qu'il fit en quelques semaines. Au siècle précédent, un aïeul de Mario, piégé dans l'hiver de la Campagne de Russie, quitta le front et ramena ce qu'il restait de son régiment à Cuneo à travers les steppes glacées.

Le jour même, Mario me proposa de l'accompagner au camp d'Al Wahdat, soixante mille habitants à l'époque, un enchevêtrement de constructions en dur et d'abris en tôle ondulée. C'est là qu'ensemble nous avons transformé une école en poste de secours.

Comme chirurgiens, nous ne fîmes pas grand-chose : les morts étaient morts, les blessés graves n'arrivaient pas jusqu'à nous. Notre activité se limita à montrer comment traiter des blessures superficielles. Peu à peu, notre poste de secours devint ainsi une consultation de médecine générale.

Une femme médecin vint bientôt se joindre à nous, Nabila. Belle, étonnée et triste, elle était arrivée dans l'urgence de Washington — où sa famille, une grande famille palestinienne de Jérusalem, avait émigré — pour aider, impérieusement.

Romantisme révolutionnaire, engagement des uns et des autres, à des degrés très divers — il y avait là quelque chose d'absolument déraisonnable et de véritablement généreux.

J'avais quitté Paris avec Patrick, Jean-Paul, Jean-Daniel, René, Bernard, avec qui j'avais préparé le concours de l'internat, et une dizaine d'autres, médecins, chirurgiens, anesthésistes. À la fac de médecine, Marcel Francis était connu comme professeur de rhumatologie et comme un ténor de l'épisode mai 1968, à la Danton — il en avait l'épaisseur. Bien ancré chez les trotskistes, il avait mis sur pied le Secours rouge, qui représentait une forme d'alliance de l'embryon humanitaire et des causes chères à la gauche de la gauche. Il avait réussi à organiser en quelques heures une expédition vers le Moyen-Orient, au secours des Palestiniens. Dans leur majorité les jeunes médecins partis pour cette aventure étaient juifs. Nous étions en 1970, fin septembre. L'idée que le monde allait changer profondément était encore vive ; dans les années 1980, les enthousiastes rentreraient dans le rang.

À Beyrouth, nous avions attendu plusieurs jours qu'un convoi de vivres s'organise et soit autorisé à rejoindre Amman. Beyrouth était le centre d'une agitation politique extraordinaire. La douceur, la gentillesse, la sensualité des gens contrastaient avec la violence et la détermination des groupes. La guerre se préparait, inéluctable.

Nous avions logé dans les locaux d'une association de femmes palestiniennes, et c'est là que j'avais rencontré Margherita. Architecte, elle venait de Rome. Militante de gauche, trempée dans la géopolitique, elle connaissait le terrain — et les acteurs la connaissaient, tous admiraient son énergie. Avec elle, les événements prenaient leur signification. Je ne la quittai plus. Je m'éloignai de mes amis français, qui se répartirent dans d'autres camps de réfugiés, tandis que Margherita et moi voyagions ensemble vers Amman, dans sa Land Rover, rejoignant ses amis italiens.

Margherita était chargée de la restructuration du système d'égout au camp d'Al Wahdat et s'occupait aussi de l'intendance de notre poste de secours. Plusieurs fois, se faisant passer pour je ne sais quel organisme international, profitant de la confusion générale, elle alla voler des stocks de médicaments dans les hôpitaux jordaniens, avec un culot incroyable, à la tête de sa Land Rover.

Un après-midi, alors qu'elle rentrait d'une de ses expéditions, la voiture pleine de matériel médical, elle fut arrêtée à un barrage par des Bédouins surexcités qui voulurent la fusiller. Ils la mirent contre un mur et continuèrent à s'agiter avec leurs fusils. Mais elle ne cessa pas de parler — est-ce qu'on tire sur quelqu'un qui parle ? —, jusqu'à ce qu'un type qui passait par là prétendît la connaître. Relâchée, elle revint avec son butin.

À la fin de ces journées désordonnées, la nuit du Moyen-Orient tombait brusquement. Notre poste de secours devenait un lieu de discussion. Qui était là et pourquoi ? Je ne me posais pas la question. L'analyse de la situation était une occupation primordiale. Je comprenais que les mouvements des forces en présence étaient commandés par des puissances obscures et lointaines qui agissaient selon une logique rigoureuse. Des uns et des autres, nous connaissions l'essentiel : Alfredo avait été proche de Fidel Castro dans une autre vie, puis il avait dû s'éloigner. Grand, mince et séducteur, il entretenait une relation connue de tous avec la femme d'un dirigeant palestinien. Était-ce possible ? Oui. Ses antécédents fidélistes lui donnaient une certaine autorité — il alla même jusqu'à s'opposer au cessez-le-feu lorsqu'il survint, ce qui lui attira quelques ennuis et menaces. Chris, lui, avait quelques idées de stratégie militaire : quand il fallut défendre notre poste de secours, il indiqua où installer les mitrailleuses — avant de s'endormir profondément dans son sac de couchage à fleurs.

Une explosion au loin. John était allé voir, avec son

treillis neuf qui le distinguait des autres — et un couteau fixé à la cheville, je me souviens —, John, un journaliste écossais qui n'avait pas hésité à s'engager aux côtés des combattants palestiniens et qui se révéla par la suite un agent des services de renseignements anglais. En réagissant à un tir de katioucha dirigé contre le palais royal — qui ne l'avait pas atteint, d'ailleurs, les canons katioucha étaient d'une imprécision légendaire —, les « forces impérialistes » avaient fait sauter un dépôt de munitions dans le souterrain d'un camp voisin.

Nous parlions italien, principalement, dans notre poste de secours. Des Italiens j'aimais la gaieté, et leur expérience politique m'en imposait; je les sentais à l'aise — autant qu'on pouvait l'être dans cette situation de guerre civile. Par son calme, son attention aux autres, sa bonne humeur inaltérable, Mario était l'âme et la cheville ouvrière du poste. Avec lui, j'enseignais des rudiments de petite chirurgie, parages de plaies, extraction de balles, premiers soins aux blessés. Notre enseignement, si ténu qu'il fût, représenterait peut-être la seule trace de notre bref séjour.

C'est là, parmi les Italiens, que j'ai retrouvé ma langue maternelle, celle que j'ai entendue la première, que j'ai parlée la première, pour l'oublier ensuite, tellement, enfant, fils d'immigrés, je voulais être français, comme les autres à l'école. Peut-être voulais-je aussi effacer un souvenir : en classe, toujours assis près de la porte, je me précipitais dehors dès que la cloche sonnait pour échapper aux injures, « Italien, fasciste », et à la bagarre dans la cour de récréation.

À Al Wahdat, ils chantaient, les Italiens, des chants révolutionnaires. Cette langue me plaisait ; c'était comme un bain chaud — or on ne se lavait presque jamais dans ce poste de secours, peu d'eau. Certains faisaient là des passages fugitifs, un soir, deux soirs, des femmes aussi. Révolution. Le monde allait changer. Le bouleversement était proche. Paolo, un Vénitien, maigre, le crâne rasé, les yeux brillants, fiévreux, sortait d'un entraînement militaire de huit semaines avec les Palestiniens. Il paraissait qu'on soulevait des montagnes, avec ces types-là — les métaphores avaient une propension à se solidifier dans la réalité. Paolo cherchait sa femme qui aurait dû l'attendre en s'acquittant de je ne sais quelle tâche militante. Personne n'osait lui dire qu'elle était partie avec un responsable palestinien. Allez savoir. Il ne parlait pas arabe. Aussi avait-il bien saisi l'ordre d'assaut, lors de la bataille autour d'Irbid, mais n'avait pas compris l'ordre du repli. Il s'était ainsi retrouvé à courir seul sous la mitraille, ébahi.

Certains Italiens que je croisai, ceux de la Lutte armée, feraient la jonction avec les années noires, les années de terreur, celles que l'Italie n'a pas pardonnées.

J'étais interne dans le service de Charles Dubost lorsque je partis pour le Moyen-Orient. À mon retour, je fus accueilli plutôt froidement. « Qu'est-ce que tu es allé faire avec cette bande d'abrutis ! » m'avait dit Armand.

Armand était un des trois professeurs agrégés assistants de Charles Dubost. C'est avec lui que j'avais commencé mon apprentissage de chirurgien. Armand était plutôt un intellectuel de la chirurgie, il passait beaucoup de temps dans son bureau à discuter, élaborer, écrire ; il aimait aussi beaucoup dire des conneries, en continu, comme ça venait. Il y a une générosité à dire des conneries, là au moins on ne fait pas le fier, on ne se cache pas derrière son parapluie. Je l'aimais pour ça.

Quand il n'était pas d'accord, avec mes options politiques notamment, il me disait : « Arrigo, tu me fais marrer. » C'était sa façon de désapprouver en laissant à l'autre un espace, un peu d'humour, plutôt que de l'acculer. Une sorte de compréhension réprobatrice.

Armand était tout à fait insomniaque. La nuit, il lisait ; il lisait énormément, ce qui paraissait, ce dont on parlait, indifféremment romans, philosophie, psychanalyse. Je ne sais pas ce qu'il en faisait, ça s'imprimait dans son esprit mais ça ne le calmait pas.

Il poursuivait comme certains autres chirurgiens le fantasme de devenir vraiment un chirurgien, enfin, vraiment reconnu par lui-même, statut qu'il ne parvenait pas à atteindre. C'était une poursuite qui l'épuisait, un doute profond qui persistait.

Il avait une mémoire de cheval, Armand. À la réunion du service, le samedi matin, dans le grand amphithéâtre en pente, face au public de cardiologues, chirurgiens, médecins, réanimateurs, étudiants installés sur les gradins, devant le tableau noir, apparaissait Charles Dubost. Armand, jeune chef de clinique, venait s'asseoir près du patron, chargé des lumières — allumer, éteindre — lorsqu'on passait les diapositives. En réalité, sa présence au coude-à-coude avec le patron avait une raison cachée : Armand était la mémoire de Charles. L'interne présente un dossier compliqué, inhabituel, une décision s'impose, il faut se référer à une situation analogue ; Armand se penche vers Charles et lui dit à mi-voix : « Vous vous souvenez, Monsieur » – on disait « Monsieur » quand on s'adressait au patron ; certains, dans leur misère, le disent encore –, « c'est l'histoire de cette patiente, Mme Lespinasse, que vous avez opérée il y a dix ans et qui présentait des symptômes tout à fait similaires… » Charles rappelait alors à haute voix l'histoire et les péripéties chirurgicales de Mme Lespinasse.

Mais le duo d'Armand avec Charles allait prendre fin.

Charles mettait de la distance avec ses assistants lorsque ceux-ci passaient du statut de chef de clinique à celui de professeur. Le lion éloignait les jeunes mâles, rivaux potentiels peut-être — il s'agissait plutôt d'une règle de la nature : les jeunes adultes quittent la meute, c'est ainsi.

Jusqu'à ce qu'un jeune mâle brillant, déterminé, incontestable et futuriste, dangereux celui-là, éloigne le vieux lion que Charles était devenu. Il allait faire entrer la chirurgie valvulaire dans la modernité, devenir le pionnier des valves biologiques et le concepteur des stratégies de reconstruction. Comme Charles Dubost, Alain Carpentier entra dans l'histoire.

— Vous êtes chirurgien du cœur ?

— Oui.

— Alors vous remplacez les cœurs !

— Non, j'essaie de les réparer, quand c'est possible.

En effet, je suis plutôt intéressé par l'aspect réparateur de cette chirurgie. Son côté artisanal, fondé sur l'expérience et les décisions subjectives, pas facile à reproduire ni à expliquer, du moins quand on débute.

Le pionnier de cette histoire, c'est Alain Carpentier. Alors qu'il était assistant de Dubost à Broussais, il s'est attelé, entre autres, à réparer la valve mitrale, qu'on appelle ainsi car elle pourrait ressembler à une mitre — je trouve, moi, qu'elle ressemble plutôt à un parachute : deux éléments tissulaires forment un dôme (ce sont les feuillets valvulaires) auxquels sont reliés des bouquets de cordages arrimés à des piliers musculaires ; le tout est circonscrit par un anneau qui marque la frontière entre l'oreillette et le ventricule gauche. Il y a quatre valves dans le cœur, qui laissent passer le sang dans un sens et l'empêchent de refluer dans l'autre. La valve mitrale est une structure très complexe qui s'ouvre, permet au sang de circuler de l'oreillette gauche au ventricule gauche, puis se ferme, l'empêchant de refluer.

Alain Carpentier avait remarqué que lorsque la valve mitrale était malade, en particulier lorsqu'elle se fermait mal, l'orifice se dilatait et se déformait. Il avait mis au point un anneau qui permettait de rendre à cet orifice un diamètre et une forme proches de la normale.

Si je me souviens bien, c'est par là que ça a commencé. Il a repéré une anomalie et d'autres sont apparues à notre regard, comme si les images se dévoilaient, à mesure que notre compréhension s'élaborait. L'attention du chirurgien, attirée par l'anomalie de l'anneau mitral, s'est ensuite tournée vers les lésions des feuillets valvulaires.

Réparer une valve (plutôt que la remplacer), c'est d'abord l'observer; et un jeu s'installe entre ce que l'on voit et ce que l'on sait. Il est étonnant de constater combien nous sommes aveugles devant les choses si nous n'avons pas à l'esprit une petite idée qui permet à nos images de prendre place et surtout de prendre sens. Si je regarde une goutte de sang au microscope, je risque de n'y voir qu'un magma indifférencié, des couleurs, du mouvement. Alors que celui qui est au travail devant son instrument va trouver une grande cohérence à son observation. Tout cela semble bien banal mais c'est la condition même de l'observation : par quel bout s'atteler? quel est le bon angle d'observation? que regarder dans ce qu'on voit?

Théodore Monod racontait comment les Touaregs se repèrent. Le désert, la banquise, c'est pour nous l'absence même de points de repère. Connaître le désert, comment ? Par la variabilité des dunes, la couleur des rochers, leur aspect changeant au cours de la journée ? Pas plus que l'histoire de France, le désert ne se laisse connaître : on en saisit seulement des aspects. Mais les Touaregs ont depuis longtemps — toujours ? — trouvé la bonne approche pour savoir quoi observer pour se repérer. Il y a des vents dominants dans ce désert. Ces vents soufflent habituellement dans le même sens, du nord vers le sud dans le désert de Libye, plus à l'ouest ils tournent dans le sens des aiguilles d'une montre, et le sable creuse des encoches comme des flèches dans les roches, dans les pierres, des traits, des traces ; ces marques sont orientées parallèlement. Les gens du désert savent que la direction à prendre marque un angle par rapport à ces traces. Je ne décris pas ici un système universel de repérage dans le désert ; simplement, l'expérience, la connaissance du désert s'est faite d'observations de ce type.

C'est en lisant Claude Lévi-Strauss que j'ai compris que pour parvenir à étudier avec profit une situation complexe, il fallait trouver un point de vue adéquat. Mon approche de l'appareil mitral a ainsi été éclairée par la préface de Lévi-Strauss aux *Six leçons sur le son et le sens* données par Roman Jakobson en 1942 à l'École libre des hautes études, que des savants français et belges — dont Lévi-Strauss — venaient de fonder à New York. Si je voulais étudier un système complexe que l'on pourrait décomposer en éléments simples — une population, un mythe, un langage ou la valve mitrale, pourquoi pas ? —, il fallait favoriser l'étude du rapport entre les éléments plutôt que les éléments eux-mêmes, et trouver l'angle d'observation qui comme une flèche le traverse.

L'angle d'observation de la valve mitrale est topologique. Pour l'appareil mitral, c'est l'amplitude des mouvements des feuillets de la valve qui constituait la flèche qui traverse le système — et la clé de l'énigme. Après avoir observé la forme et le diamètre de l'orifice, l'amplitude des mouvements des feuillets de la valve est apparue comme le point de repère essentiel si on voulait entreprendre de la réparer, c'est-à-dire non pas lui rendre son anatomie originelle, mais lui redonner sa fonction : s'ouvrir suffisamment, se fermer de façon étanche. Il fallait réduire l'amplitude des mouvements lorsqu'elle était augmentée, l'augmenter lorsqu'elle était diminuée.

Mais ce point de vue, topologique, était en rupture avec la tradition anatomiste dans laquelle étaient enfermés les chirurgiens. C'est pourquoi ces techniques de reconstruction de la valve mitrale ont pénétré si lentement la pratique quotidienne : non pas à cause d'une quelconque difficulté manuelle ou technique, mais du fait d'un basculement conceptuel. Il fallut en effet passer de la considération à l'ancienne des anatomies, de leur morphologie, de leur juxtaposition, de leurs transformations pathologiques, à l'observation d'invariants dans un système en mouvement, qui se déforme continûment. Une autre histoire.

Améliorer les résultats était notre obsession. Nous sommes à la charnière des années 1980 et 1990. Les chirurgiens ont une double préoccupation : réussir le geste réparateur pour lequel le malade est opéré (un pontage coronaire, une réparation ou le remplacement d'une valve, la réparation d'une anomalie congénitale) et dans le même temps garantir la performance du muscle cardiaque, qui lui permet d'assurer un débit, un flux sanguin adéquat pour irriguer les organes. En raison du manque d'irrigation du muscle lui-même pendant le geste, le principal danger, au cours de ces opérations, est l'altération de la fonction du muscle. La protection du cœur — on parle de protection myocardique —, tel est le chapitre prédominant de la recherche dans les années 1980 et 1990. Le froid a constitué la pierre de touche, la base des méthodes de protection myocardique. On y ajoutait divers éléments chimiques, mais la base c'était le froid.

Au début des années 1950, pour les premières tentatives de transplantation, les reins venaient parfois des cadavres des condamnés à mort. La tête tombée dans le sable, on les prélevait au pied de l'échafaud et ils étaient maintenus au chaud. À cette époque, on croyait en effet à l'idée que le froid était une menace pour l'organisme, donc dangereux pour les organes. « Tu vas prendre froid! Reste au chaud! » disait-on — dit-on toujours — aux enfants.

Dix ans plus tard vient le règne du froid. Le cœur est assimilé à sa fonction de muscle et on se tourne alors vers le réfrigérateur pour le conserver. On refroidit le muscle cardiaque, on diminue la température corporelle. Et il faudra encore une trentaine d'années pour que soient montrés les effets délétères du froid sur les cellules.

Invité à donner une conférence, en 1989, dans un congrès à Curitiba, au sud du Brésil, j'assistais aux communications de mes collègues. J'étais alors préoccupé, dans ma pratique, par une certaine irrégularité des résultats. Dans l'ensemble, ils étaient bons : les patients avaient des suites relativement simples et ils rentraient chez eux contents. Malgré tout, un échec pouvait survenir de façon imprévisible, pas forcément chez les malades les plus atteints. Perdre un patient dont l'état est gravissime avant l'intervention, c'est presque dans l'ordre des choses, si l'on peut dire — on tente de le sauver. Mais perdre un patient opéré parce qu'il est essoufflé quand il joue au tennis, c'est un drame, un drame insupportable.

J'étais en train de penser à cette situation lorsque j'écoutais Tirone David, un chirurgien d'origine brésilienne qui travaillait à Toronto, cet après-midi-là. Qu'est-ce qu'il disait, Tirone David ! Il expliquait que les inconvénients du froid sur les cellules étaient nombreux : leur paroi et certains de leurs composants se trouvaient altérés. Mais nous étions à la fin des années 1980, et personne n'avait encore sérieusement remis en question le froid comme méthode fondamentale de la protection myocardique.

Tirone David décrivait une méthode qui permettait de réaliser les opérations à cœur ouvert à température normale, 37 degrés Celsius. Quand un cœur est arrêté à la température normale, il diminue sa consommation d'oxygène d'environ 90 %. En lui apportant les 10 % qui lui manquent, on assure une protection myocardique beaucoup plus proche des conditions physiologiques. Et je sentais qu'approchant de conditions plus physiologiques, on basculait dans un autre monde. Tirone David avançait des résultats excellents, et surtout il montrait que ces résultats n'étaient pas altérés par le temps : les opérations pouvaient être longues, le muscle cardiaque réagissait de la même façon. J'étais conquis ! Je voulais voir ! En outre, quelque chose me rassurait dans la logique qu'il développait. Il se référait à des travaux déjà connus qu'il mettait en perspective de manière originale. On n'invente rien *ex nihilo*, on s'appuie sur les autres, on apporte sa propre expérience, on trouve parfois la bonne perspective et les choses s'éclairent, une nouvelle hypothèse apparaît, qu'il faut encore confronter à l'expérience, mettre en danger, pour en tester la solidité.

Une fois rentrés à Paris, nous décidons que deux membres de notre équipe partiront pour Toronto, un chirurgien, Mauro Romano, et un perfusionniste (celui qui s'occupe de la machine cœur-poumons), Daniel Lehouerou, pour étudier cette nouvelle méthode. Mais à Toronto, Tirone David leur apprend qu'il ne l'utilise pas : il a prononcé cette conférence au nom d'un autre chirurgien d'origine brésilienne, Tomas Salerno… qui travaille lui aussi à Toronto, à l'hôpital juste en face.

En France, à Aubervilliers, nous avons appliqué telle quelle cette technique révolutionnaire pour les cinq cents opérations suivantes, avec des résultats auxquels nous n'étions pas habitués. En salle d'opération, le cœur repartait avec une vigueur et une stabilité qui rendaient les suites autrement plus simples et constantes. Une grande part de la tension qui régnait en salle d'opération et en réanimation disparaissait. Le travail trouvait enfin des conditions de sérénité.

Cette première phase passée, j'ai modifié la technique de Toronto en parvenant à la rendre plus simple et à éliminer certains inconvénients liés à l'injection d'une trop grande quantité de liquide (l'hémodilution). Daniel Lehouerou trouva le truc à partir d'un souvenir précis de son cours de physique de seconde. Il mit au point une formule mathématique, un algorithme tiré de la loi de Lavoisier, qui déterminait le débit adéquat du potassium et du magnésium, pour que ce mélange, injecté par des seringues électriques dans le sang oxygéné qui irrigue le cœur, l'arrête, et le fasse repartir dès l'interruption de l'injection.

Pendant des années, des équipes de chirurgiens du cœur sont venues nous rendre visite pour prendre en main cette méthode. En 1994, nous avons organisé une réunion à Chicago où nous avons confronté l'expérience naissante de tous ceux qui s'étaient lancés dans cette aventure. Je me souviens combien nous étions électrisés par l'enthousiasme. Le dogme de l'hypothermie, que nous avions cru inaltérable, était remis en question. L'ère de la normothermie s'ouvrait.

Cela n'allait pas sans protestations ; lors de certains colloques, il arrivait que les insultes fusent. Je me souviens d'un ami qui, offusqué par la brutalité d'un tel changement de perspective, me traita d'assassin : « Clamper l'aorte en normothermie, c'est un assassinat ! » On s'échauffe, on voit rouge, la science retrouve sa subjectivité originelle.

Fin de l'après-midi. Par le hublot, le soleil couchant du Colorado, orange vif. En bout de piste, l'avion s'arrache. Épuisé, je croise le regard de Daniel. Il a compris : on s'est fait avoir. On s'en aperçoit maintenant. Pas la peine de commenter, silence de fatigue et de pudeur. Nous avons honte de notre naïveté. Un aller-retour dans le Colorado pour livrer nos secrets, comme des bleus.

Licht était venu un an plus tôt nous rendre visite pour voir comment nous avions fait évoluer le système dit « en aérobiose et normothermie » que Tomas avait élaboré avec lui. Notre miniaturisation de l'injection de la cardioplégie l'intéressait : dépendante d'un algorithme, elle pouvait entrer dans un processus d'automatisation. Quand les gens de la société Crab nous ont invités à venir exposer notre méthode à Denver, nous n'avons pas hésité un instant. Nous pensions contracter une collaboration de recherche. Pendant cinq heures, trois ingénieurs nous ont posé des questions d'une grande précision et nous étions étonnés de voir combien ils avaient compris le système. Il leur manquait des détails que seule notre expérience pouvait livrer. Ce n'est qu'après coup que nous avons réalisé que Licht travaillait pour Crab lorsqu'il était venu à Aubervilliers. Il leur manquait ce que seuls des cliniciens expérimentateurs pouvaient leur donner, des détails essentiels — nous les leur avons donnés précisément.

Rester au plus près des conditions physiologiques, de façon à ne pas créer une perturbation qui pourrait entraîner des conséquences imprévisibles ou difficilement contrôlables, est un bon point de départ pour raisonner. Comme disait Éric Hazan, un brillant chirurgien du cœur qui a bifurqué vers l'édition et l'écriture, « voilà un raisonnement qui semble frappé au coin du bon sens ! ». Est-ce que le bon sens a un rapport avec la science ? Je propose de traiter cette question de façon scientifique, oui, j'en fais mon hypothèse. Une hypothèse de bon sens.

Les méthodes que nous utilisons, les gestes que nous faisons, certains raisonnements auxquels nous avons recours ont une histoire ; ils s'inscrivent dans une tradition qui devient une culture. Il arrive que le souvenir de l'origine de certaines méthodes se perde dans la nuit des temps et qu'au fond nous ne sachions pas très bien pourquoi nous continuons à répéter certains gestes.

Nous étions à l'évidence loin des conditions physiologiques. L'hypothermie entraînait des perturbations cellulaires et biologiques importantes, parfois imprévisibles et gravissimes. Elle n'était pas seule en cause. Les variations de pression provoquées par la circulation extracorporelle à ses débuts, ainsi que les drogues approximatives de l'anesthésie rendaient les opérations dangereuses et incertaines. Il n'était pas envisageable d'opérer des gens fragiles ou très âgés comme nous le faisons maintenant.

Nous nous trouvions dans des situations complexes auxquelles nous apportions des solutions compliquées. Les solutions compliquées sont souvent inélégantes. Une amie mathématicienne spécialiste de la théorie des catastrophes me disait qu'une solution trop compliquée, et de ce fait souvent inélégante, était probablement fausse, que l'on avait peut-être forcé le raisonnement. Le critère d'élégance est souvent allié à la simplicité. Elle en faisait les signes de l'art et du génie, laissant sur le bord de la route les peineux et les laborieux. Castiglione avait inventé un mot pour parler de l'œuvre de Raphaël : *sprezzatura*. Une apparente nonchalance, un certain détachement, la bonne distance peut-être.

J'ai toujours été effrayé quand la solution était compliquée. Plus on complique, moins on maîtrise. Je me souviens que certaines opérations sur les nouveau-nés étaient tellement compliquées que les chirurgiens avaient des check-lists pour ne rien oublier. Mon objectif était un objectif de paresseux : simplifier les techniques. Je cherchais à apporter des réponses simples au regard de problèmes complexes. Quand c'était possible.

Dans les années 1970-1980, nous étions plongés dans la complexité liée à l'interférence de paramètres nombreux et notre compréhension des phénomènes était limitée. Après l'intervention, les suites s'annonçaient difficiles, car il fallait ramener le patient vers un état de normalité. Il fallait suivre pas à pas les progrès des fonctions de chacun des organes vitaux (foie, rein, cerveau). Le patient était maintenu dans un état de sommeil, le réveil ne s'envisageait que lorsque les divers paramètres se stabilisaient. Le nécessaire maintien dans ces conditions artificielles avait ses inconvénients et pouvait provoquer des complications, qui nécessitaient elles-mêmes d'autres gestes qui comportaient chacun leur propre danger. Les premières heures après l'intervention représentent un moment de fragilité où une attention de chaque minute est indispensable.

Au cours des vingt dernières années, la situation s'est peu à peu transformée. L'hypothermie est plus rarement utilisée et, si elle l'est, il s'agit d'une hypothermie modérée. Mais surtout, les drogues anesthésiques sont devenues précises, efficaces et légères. Elles ont un effet *on/off* : lorsqu'on arrête l'injection, leur effet prend fin presque immédiatement.

Toutes les contributions de l'équipe qui entoure le chirurgien sont portées par le désir de rester au plus près des conditions physiologiques. La douleur est elle-même traitée de manière efficace, parfois par injection de morphine dans le liquide céphalorachidien (anesthésie un peu différente de la péridurale utilisée lors des accouchements). Le patient peut ainsi être réveillé très vite après l'intervention, parfois même sur la table d'opération, sans douleur, et il retrouve son autonomie physique (réveil, mouvements) mais aussi biologique, mettant en jeu ses sécrétions hormonales naturelles mieux adaptées que les thérapies complexes et supputatives que nous pouvions lui administrer. En éliminant progressivement des protocoles agressifs pour l'organisme, nous avons allégé les suites opératoires, rendant inutiles et dangereux des gestes que l'on accomplissait de façon routinière, comme l'assistance respiratoire prolongée. Pour cela, il a fallu concevoir une continuité parfaite entre l'anesthésie et la réanimation, les réanimateurs voyant leur rôle souvent réduit à une surveillance attentive du réveil.

Moins souvent confrontés à des situations dramatiques, les réanimateurs ont pu mieux considérer la valeur des signes cliniques et des indications données par les examens, l'échographie par exemple. La gravité et la brutalité des situations auxquelles ils avaient à faire face les amenaient à prendre des décisions lourdes, aux conséquences lourdes elles aussi. Ils ont appris à accorder aux signes leur véritable signification, à les organiser dans leur hiérarchie, à favoriser la clinique au regard d'examens dont l'interprétation peut être variable ou faussement objective. Une altération de la fonction myocardique à l'échographie n'implique pas forcément une réponse thérapeutique ; peut-être plus d'attention, simplement.

« J'aimerais bien voir une opération. Ce serait possible ? » « Oui, c'est possible. Tu viens un matin tôt. Je te montrerai comment on s'habille. Tu te mettras du côté de l'anesthésiste. Tu ne toucheras à rien. Et si par hasard tu ne te sens pas bien, tu sortiras sans attendre de tomber dans les pommes sur le champ opératoire ! » Une panseuse surveillera de près le visiteur.

« Quelle impression ça t'a fait ? » Chacun y voit une scène différente, confirmant combien les yeux construisent le paysage. « Opérer le cœur, c'est accéder à un puits, une ouverture, un trou profond », avait-elle dit avant de venir en photographe. Ses photos montraient ce qu'elle avait imaginé : un trou obscur et profond. Il y avait là un sérieux décalage entre ce que j'avais à voir et son objectif à elle.

Là aussi j'étais surpris : « J'ai senti la force — et la précision, mais surtout la force qu'il faut pour nettoyer le calcaire déposé sur une valve aortique », disait Jean. Il me révélait une façon de voir certains de mes gestes.

Elle : « Je craignais la confrontation avec l'intérieur du

corps, je me demandais quelle réalité c'était. Peut-on voir ce mot qu'est le cœur ? Je l'ai vu, étonnée d'y trouver de la beauté : des masses rouge sombre, blanches et luisantes, ocre aussi, dans le cadre formé par l'écarteur, au milieu des champs bleu pâle. Une abstraction sur laquelle passent des mains, se répondant, se déplaçant avec économie, souples, en un seul mouvement, fluide, qui ne s'arrête pas. De l'autre côté du tissu bleu tendu perpendiculairement au buste du patient, son visage vivait, calmement, comme s'il s'était juste assoupi, en toute confiance. L'absence de rapport entre ce visage plongé dans une telle douceur et le thorax ouvert m'a paru très étrange. »

Rebecca avait été inspirée par le réseau des tuyaux reliés à la machine de circulation extracorporelle. Le sang bleu et rouge circulant, bien visible. Elle avait fait un poème — « Dégager les veines dans la pierre, les opérer, les renforcer et à nouveau les joindre… » — et des dessins. Une sculpture, aussi, qu'elle a appelée *Tailleur du cœur*.

Une urgence : une dissection de l'aorte, ça n'attend pas. C'est la paroi de l'aorte qui se divise dans son épaisseur ; à cause de sa fragilité, elle peut se rompre brusquement. Marie, qui m'avait accompagné cette nuit-là, avait vu la salle d'opération s'animer comme la cuisine d'un restaurant au moment du coup de feu. Chacun est à sa tâche, concentré à sa manière, avec des périodes d'activité et de détente qui ne sont pas les mêmes pour les différents acteurs : les anesthésistes sont très occupés au début et à la fin ; l'échographiste précise le lieu des lésions et s'éclipse, sauf à vouloir rester pour voir ; les panseuses naviguent au milieu d'une interminable garde ; l'instrumentiste, les chirurgiens travaillent parfois en musique, le plus souvent en silence. Il y a les moments de routine, on y parle comme au bistrot dans une certaine intimité — on se connaît bien. « Ton mari, où est-il en ce moment ? » « À Macao, pour une semaine. » Il joue au poker, c'est son métier. Il voyage pour les tournois ; sinon, il joue à Paris. « Le mien, il est gendarme. Il travaille à l'Élysée. Il n'a pas le droit de raconter quoi que ce soit. C'est secret. Sarko est plus distant que Chirac. Chirac, il avait toujours un mot pour ceux qu'il croisait habituellement. Sinon, quand je les entends, les collègues de mon mari, c'est une bande de gamins qui se marrent bien. » Les perfusionnistes sont derrière les chirurgiens, plutôt discrets. Ils pilotent la vie du malade à travers leur machine, ce qui ne les empêche pas d'avoir parfois le téléphone à l'oreille.

Marie avait vu là une fourmilière avec des groupes à la fois autonomes et interférents, des rythmes différents, mais un ensemble qui sonne juste, avec sa respiration. L'épuisement quand ça n'en finit pas. La sérénité après l'attente, quand le cœur repart, que les sutures tiennent.

Cette nuit-là, déjà les conversations reprenaient, nous revenions à la vie civile. On accompagnerait le malade en réanimation. J'irais voir la famille. L'aube pointait, la nuit avait été calme.

Lorsqu'une idée nouvelle vous vient à l'esprit, vous pouvez être sûr que la même ou une idée apparentée est apparue ou est en train de germer quelque part dans le monde. C'est une loi universelle. Mieux vaut le savoir, car elle peut être à l'origine d'émotions fortes...

Dans la reconstruction de la valve mitrale, lorsqu'on remplace des cordages rompus, les chirurgiens ont beaucoup de mal à connaître la longueur idéale, pour un patient donné, des cordages artificiels qu'ils s'apprêtent à implanter. Chacun a son truc et il existe des publications très nombreuses — plus de cent — pour indiquer une nouvelle façon originale de faire cette mesure pendant l'opération.

Bizarrement, personne n'avait pensé à utiliser l'échographie. J'ai demandé à deux amis échographistes de s'intéresser à la longueur des cordages et nous avons fini par proposer de mesurer la distance entre la tête des piliers et le plan de l'anneau mitral. Cela nous donnait une distance moyenne très utile pour l'idée que Marcio et moi avions en tête. Nous étions partis de l'hypothèse que cette distance est relativement constante. Nous pouvions ainsi élaborer un système destiné à remplacer des cordages rompus, absents ou trop allongés.

Nous avons effectué de nombreuses mesures et notre hypothèse s'est trouvée confirmée : nous pouvions utiliser notre système pour la plupart des patients. Une première publication témoignant de résultats excellents fut acceptée par une prestigieuse revue américaine.

Attendant la parution de cet article, je regardais attentivement les publications sur le sujet des réparations mitrales, lorsque je tombai sur un article venant d'une équipe de Téhéran qui décrivait de façon similaire notre méthode de mesure de cordages. Il confirmait, juste avant nous, que nous avions eu une bonne idée ! Cela voulait dire que notre autre idée, celle du système de cordages, était peut-être elle aussi déjà dans l'air…

Cette histoire me ramène à une autre plus ancienne — elles sont liées. Notre système de cordages artificiels dérive d'une technique que j'avais mise au point en 1985. Il s'agissait d'utiliser des cordages de la valve postérieure pour remplacer les cordages de la valve antérieure défaillants. Cette méthode avait pour particularité de faire évoluer une technique précédemment inventée par Alain Carpentier. Il transposait les cordages par unités, je les transposais reliés les uns aux autres par une bandelette de tissu de la valve. Tout cela pourrait ressembler à des querelles byzantines sur des points de détail. Il s'agit en fait d'évolutions qui dans la pratique ont une importance majeure.

J'avais donc opéré en 1985 le premier cas, un enfant de

douze ans. Le résultat était impeccable. J'avais immédiatement envoyé l'article au *Journal of Thoracic and Cardiovascular Surgery*. Il avait été accepté, j'attendais la parution. J'ai choisi ce moment pour aller présenter cette innovation à une réunion organisée par Alain Carpentier à l'hôpital Broussais, où il avait succédé à Charles Dubost. J'étais très fier de cette avancée, j'étais aussi très fier de la présenter à Alain Carpentier qui était mon maître et le concepteur de la chirurgie de réparation de la valve mitrale. Je me souviens, il y avait Albert Starr dans la salle, un chirurgien américain célèbre, inventeur, quand il était très jeune, d'une valve artificielle qui a eu un succès immense. L'accueil fut étonné, poli puis chaleureux.

Juste avant de faire ma présentation, j'avais croisé Carlos Dupont, un chirurgien andalou séducteur et facétieux. J'avais les photos opératoires dans ma poche. Je ne résistai pas à l'envie de les lui montrer. « Carlos, viens, je vais te montrer quelque chose qui va te plaire. » Carlos s'intéressait à la chirurgie mitrale. « Bravo ! C'est génial ! » Il regardait ça avec un enthousiasme dans lequel on pouvait sentir une bonne part de sidération. Comme si cette idée l'avait déjà frôlé. Carlos ne fit ni une ni deux : il publia la technique — après moi… mais il eut le mérite de lui trouver un nom approprié qui fit le tour du monde : *the flip-over technique*. On s'est ensuite serré la main… vingt ans plus tard.

La paternité de cette technique était pour moi indiscutable, dans la mesure où elle s'inscrivait dans la séquence du concept qu'Alain Carpentier avait introduit. Mais la trouvaille linguistique de Carlos Dupont me faisait de l'ombre. J'aurais pu, j'aurais dû faire savoir, m'agiter, rétablir l'ordre des choses. Pour une pure raison d'animalité : lutter pour être là. J'ai accepté le rapt. Mon élan naturel est tourné vers la confiance, irraisonnée. La méfiance ne me vient que dans un second temps, tardif. Je ne fais pas confiance, j'ai confiance, c'est peut-être une marque de mon éducation.

J'y revois mon père, Angelo — je lui en ai voulu de ce trait de caractère dont j'ai hérité, me semble-t-il. J'ai la rancune éphémère ; elle disparaît dans les brumes d'une mémoire peu attentive, déniant à celle-ci sa fonction stabilisatrice et salutaire : situant les ennemis, fixant leur rôle. Se retrouver trahi s'apparente ainsi, parfois, à un véritable trouble de la vigilance.

Je me retrouvai les bras tendus en avant, la tête vers le bas. Mes deux pouces, enfoncés dans une neige ferme, me bloquaient. La pente était extrême. Je la sentais mais je ne la voyais pas. J'étais aveuglé par la neige dans mes lunettes. Mon corps était au-dessus, mes skis aussi.

C'était un bel après-midi ensoleillé de printemps, dans le massif des Grands Montets. Je passais au-dessus d'une crevasse cachée par des ponts de neige, mais je connaissais sa profondeur — le danger — pour l'avoir approchée l'été. Ce jour-là, je la surplombais pour rejoindre la face où je savais trouver une neige poudreuse et légère tombée la veille, précédé, dans cette traversée à pic, par une femme à qui je vouais une confiance qui ne laissait pas de place au doute.

Un cahot dans la pente produisit une secousse qui fit se dédoubler son image devant moi. Une fraction de seconde, je vis une autre femme. Je ne suis pas celle que tu crois, semblait-elle me dire. Or le doute ne parvint pas jusqu'à ma conscience — bien qu'il affectât instantanément, je le pense aujourd'hui, mon équilibre.

« Ici, il vaut mieux rester debout », lui dis-je.

Et je trébuchai, presque à l'arrêt.

Au-dessous de moi, une première pente, raide, puis un mur de glace à pic ; plus bas, l'immense crevasse. Je savais que c'était cuit. Aucun des amis avec lesquels je skiais ne pouvait venir me chercher là.

Aveugle, la tête en bas, presque vertical, j'ai attendu. Je trouvais cette position ridicule, humiliante. Je ne ressentais pas de douleur particulière. Mes pouces dans la neige tenaient encore.

C'est une décision blanche que j'ai prise. Sans regret, sans pensée. Juste l'idée que c'était fini. En finir avec cette position grotesque. J'ai donné un coup de reins pour ramener mes skis vers l'aval, sans conviction : j'avais peu de chances de me remettre debout.

Puis ce fut long. La glissade, le vol. J'étais résolu. Je n'ai rien ressenti d'autre que la fatalité de la fin.

J'ai fait un tour sur moi-même et, quatre étages d'immeuble plus bas, j'ai atterri sur le haut du dos comme sur un coussin — un pont de neige m'a reçu. Étonné de voir le ciel bleu, les sommets immobiles, j'ai saisi le bâton qui me restait et j'ai frappé la neige entre mes jambes pour en tester la solidité : un trou noir est apparu au-dessous de mes pieds, profond comme une cathédrale.

J'ai attendu immobile, assis sur cette vire suspendue au bord du vide, longtemps. Mes amis m'avaient vu disparaître et avaient donné l'alerte.

Deux pisteurs sont arrivés par la droite, à quelques mètres en contrebas. « T'as une assurance? C'est pour l'hélico. » J'étais assuré, mais je n'ai pas voulu qu'on appelle l'hélico. J'étais sonné, mais j'ai voulu descendre avec eux. « Saute sur mes skis. Ça tient, ici. » J'ai sauté. La descente a été lente, très lente. Des semaines à n'en pas revenir.

J'avais trébuché presque à l'arrêt.

« Alors, les gendarmes, ça baigne ? Qu'est-ce que vous faites par là ? » Nous progressons vers l'aiguille d'Entrèves pour le simple plaisir d'être en altitude. Une cordée de secours en montagne traverse la Vallée blanche. Il fait beau, c'est magnifique. Le souffle un peu court, économisant nos gestes, nos pas, nous avançons dans cette zone ultime où la variété, la richesse florale de la moyenne montagne a disparu. Silencieux, éblouissant, le glacier apparaît, strié de lignes parallèles, crevasses surmontées de séracs, comme de lourdes armoires en déséquilibre. Sur le granit, les faces, les arêtes, on repère quelques rares cordées à la progression imperceptible.

Jean est de bonne humeur. Il se fait passer pour un touriste auprès des gendarmes : « Vous croyez que pour attaquer la voie je dois garder mes crampons, ou bien je les enlève tout de suite ? » Les jeunes gens le regardent, incrédules. N'étant pas de la même génération que Jean, ils ne le reconnaissent pas, pourtant ils ont compris qu'il s'agit de quelqu'un qu'ils pourraient connaître. Ils hésitent à le tutoyer, mais c'est l'usage en montagne : « J'ai l'impression que tu sais très bien ce que tu as à faire. » Jean, connu pour avoir été le premier Français au sommet de l'Everest, il suffit de le voir marcher, même de loin sur le glacier, pour comprendre que celui qui progresse là n'est pas n'importe qui.

Un chirurgien de dos : il opère. Je le vois depuis le couloir, par l'espèce de hublot qui donne sur la salle d'opération. La posture me signale immédiatement qui est à la tâche. Le dos à peine voûté, la tête bien tenue, les bras souples, ne bougeant presque pas. Campé sur les jambes, les pieds à plat un peu écartés comme les marins, parfois il se met sur un pied, croise la jambe droite derrière la gauche, détendu. Calme et concentration se dégagent du bonhomme, il est à son affaire.

Un autre chirurgien. Même courbure du dos mais la tête est penchée. La nuque, les épaules, le haut du dos, cette seule région du corps exprime un trop-plein d'anxiété qui raidit les gestes et limite les possibilités de la stratégie opératoire.

La démarche d'un alpiniste, j'ai souvent essayé de l'imiter. C'est l'économie même, la lenteur des mouvements, la progression efficace, mais quelque chose d'indéfinissable, aussi, dans le balancement du corps. La fluidité, la facilité des gestes.

Je n'ai jamais pu penser seul. Ma pensée ne dépasse pas le stade de la rêverie. C'est le fond, le bruit de fond de mon activité cérébrale.

Je ne crois pas avoir appris quoi que ce soit à l'école. J'entendais des morceaux épars du cours, je m'échappais par un envahissement inéluctable du rêve. Je tirais de la voix des maîtres une impression d'ensemble, des intonations. Cette façon de dire avec délectation, en claquant la langue : « Lefébure, votre dissertation vaut 2 sur 20, et encore c'est bien payé ! » à un type qui s'appelait Lefèvre et qui subissait régulièrement cette double punition : une note médiocre pour une dissertation médiocre, associée à une déformation systématique de son nom. Je sentais bien que M. Catin aimait la littérature et qu'il y avait de ce côté-là quelque chose à explorer. Mais le rêve était mon refuge. Je recueillais des impressions vagues, quelque chose manquait en moi pour que l'enseignement pris dans ses détails fît résonance.

De là vient peut-être mon indisposition fondamentale à

tout savoir universitaire, à tout savoir présenté dans sa complétude. Que faire de tout ça ! J'ai toujours marché sur des sables somme toute fort mouvants. C'est une différence que je ressens avec certains de mes collègues, accrochés à un corpus scientifique bien solide. L'Université, ses professeurs, sa hiérarchie, ses prétendants, ses influences, sa carrière, son ton paternel, son savoir immuable m'ont été étrangers depuis toujours. Elle ne m'a pas choisi non plus, nous n'avons pas pris le risque de nous ennuyer l'une l'autre et de nous regarder, les yeux dans les yeux, compassés. C'est la raison pour laquelle ma carrière universitaire s'est envolée comme un rêve. J'ai décidé de quitter l'hôpital universitaire. J'ai émigré dans une clinique de banlieue à une époque où la chirurgie du cœur n'avait pas encore de véritable assise. Le métier restait pour une part à inventer, dans un environnement, une clinique à Aubervilliers, qui avait le mérite d'apporter tout l'espoir qu'offre la page blanche à celui qui va s'y mettre.

Quel enseignement tirer de cette désagréable expérience qui provoqua deux fois, à un an d'intervalle, exactement à la même date, le 28 août, à la fin d'un après-midi ensoleillé au sommet d'une colline surplombant Russian River, en Californie du Nord, une rupture amoureuse brutale ? Cindy et Carolyn firent leur valise en deux temps trois mouvements. Cindy la première, Carolyn un an plus tard. Elles appelèrent un taxi qui vint les prendre à l'entrée de cette propriété suspendue entre la forêt de séquoias et la brume du Pacifique qui adoucit le bleu du ciel. Elles avaient entrepris d'imprimer leur billet d'avion pour leur retour, l'une vers Washington, l'autre vers Londres. À cette fin, elles empruntèrent l'ordinateur portable de mon ami Robert, avec qui, à un an de distance, elles vivaient une relation amoureuse intense.

Robert est un homme d'affaires infatigable ; il vit entre Chamonix, Londres et la Californie. En réalité, il se pose dans ses trois *homes*, à intervalles irréguliers, lorsque ses voyages d'un bout à l'autre de la planète le lui permettent.

Il aime les grands vins, les femmes de tête. Son amour pour Cindy puis pour Carolyn est sincère, fait de désir, de tendresse et de projets — il n'empêche pas ses rencontres de New York et de Buenos Aires.

Cindy et Carolyn commirent cette erreur, chacune un 28 août : elles entrèrent dans ses messages et y trouvèrent les échanges désirants qu'il entretenait avec Joy et Graciella.

— Quel enseignement tires-tu, donc, de cet événement surprenant et répété ? lui demandai-je inquiet.

Businessman avisé, Robert est aussi un scientifique reconnu. Ses études de physique nucléaire et de statistique à Yale University en attestent. Traitant cette question avec rigueur — la rigueur est l'une des trois qualités que l'on reconnaît aux scientifiques, avec la modestie et le bon sens —, il me répondit qu'il avait pris la décision de sécuriser son ordinateur… pour tous les 28 août à venir.

Selon la loi statistique qu'on appelle la loi des séries, plus un événement est rare, plus il se produit à intervalles irréguliers. C'est ce qui crée l'effet de rapprochement de plusieurs événements rares. La péripétie qui concernait Robert était rare, mais elle était survenue à intervalles réguliers. Il ne s'agissait donc pas de la fatalité de la loi des séries. C'était bien sur la date qu'il fallait agir.

— Ne crois-tu pas qu'il vaudrait mieux appliquer le principe de précaution ?

L'idée le plongea dans une profonde perplexité. Elle était en totale contradiction avec sa façon d'aborder la vie, qu'il assimilait à une expérience scientifique.

— Le principe de précaution, dit-il, m'oblige à envisager une bifurcation, fatale pour la vivacité de mon existence. D'un côté, je sécurise mon ordinateur tous les jours. Cette décision — attitude typiquement petite-bourgeoise, comme vous dites, vous autres Parisiens — aurait un effet sur ma liberté de communiquer et sur les rapports de confiance que j'entretiens avec mon entourage proche, ce qui nuirait à ma créativité affective. De l'autre, je renonce aux messages désirants avec Graciella et Joy. Perspective sombre : assèchement alarmant du recueil des données.

Je convins que sa décision de ne sécuriser son ordinateur que les 28 août était d'une rigueur toute scientifique. Loin de lui l'idée d'appliquer un principe de précaution qui l'aurait asservi : il prenait une simple précaution, sauvegardant ainsi sa liberté.

Prendre des précautions, ce n'est pas s'en remettre au principe de précaution. C'est avec précaution que j'aborde cette intervention : je cherche à me protéger aussi bien d'incidents prévisibles que de complications peu probables. Les mesures de précaution visent la sécurité du patient. Mais leur accumulation pourrait alourdir l'intervention ou les soins et présenter en elles-mêmes un danger. Il faut donc les doser avec prudence. C'est du bon sens : intervenir sur le corps, oui, peut-être, mais le moins possible. Le corps appelle par principe au respect de sa propre intégrité. L'opération chirurgicale idéale serait l'absence même d'opération. « Avance doucement, très doucement. Recule, presque », disait l'autre, qui cherchait à se garer. Nous serons aussi prudents avec l'intervention qu'avec les précautions dont l'inflation pourrait être nocive.

Quant au principe de précaution, censé s'appliquer au patient, il est souvent détourné vers la protection du soignant. Si on vient me reprocher une évolution défavorable, ma défense est prête. Les contre-feux des précautions, si lourdes soient-elles pour le patient, ont été allumés. Mais le cap restera constant : il faut garder à l'esprit que la clinique intrusive implique une part de souffrance — que l'intrusion dans le corps est une transgression, même si elle a des origines anciennes. Le corps doit être abordé avec discrétion, les gestes allégés.

La caravane approche vers le camp de base, à l'issue d'une longue marche. Elle a traversé la forêt subtropicale — dans les arbres, les singes, curieux, observent la colonne des porteurs. La montée est lente, joyeuse et bavarde. Ponts suspendus au-dessus des torrents. Sentiers, marches interminables taillées dans le chemin. Plus haut, la forêt de rhododendrons, rouges, roses, mauves, et soudain, l'Annapurna, géante et encore lointaine, à vous couper le souffle.

On m'a raconté que, lors de la première ascension, quand la caravane traversait des villages en altitude, c'était devenu un rituel : le médecin de l'expédition consultait, le soir, à l'étape. Une véritable nouveauté que cette généreuse consultation pour des paysans montagnards aux maux divers qui n'avaient jamais rien vu de tel. La surprise fut réciproque : certains d'entre eux demandaient en échange de la consultation que le médecin les rétribue ; ils avaient repéré, en fins psychologues, le plaisir — la jouissance, même — du médecin à pratiquer son art. Reconnaissant leur situation comme indispensable à la sienne, ils voulaient être rétribués.

Les médecins sont confrontés à la jouissance que leur procure la mise à disposition des corps souffrants et au désir de trop en faire. Un même geste peut guérir, il peut être inutile, il peut nuire aussi. L'allégement des gestes, leur raréfaction vers l'indispensable participent de leur devoir de retenue.

Je relève la tête, étonné : je ne reconnais pas l'équipe qui m'entoure; les deux aides et l'instrumentiste ont changé pendant que j'étais occupé, bien concentré, à réparer cette valve mitrale atteinte de lésions de fibrose dues au rhumatisme articulaire aigu dont ce jeune homme, professeur de français, a souffert dans l'enfance. Nous avons dû mobiliser l'appareil valvulaire mitral, comme on dit, soit sculpter dans le tissu valvulaire et plus loin, dans les piliers, c'est-à-dire dans le ventricule gauche, de façon à redonner aux feuillets valvulaires une meilleure mobilité. Travail d'autant plus difficile que le bout de mes instruments et la zone des lésions sont filmés : l'opération est retransmise dans une salle voisine, où une cinquantaine de chirurgiens sont venus de plusieurs provinces de Chine s'initier aux techniques de réparation des valves. Il est midi, les équipes du matin vont déjeuner, relayées, sur le champ opératoire, par celles de l'après-midi. Le repas est gratuit pour ceux qui travaillent ce jour-là, payant si l'employé n'est pas d'astreinte.

Nous sommes en 1986, à l'hôpital Fu Wai de Pékin. Les

chirurgiens invités à ces journées d'enseignement sont tous en bleu de chauffe — pantalon, veste et casquette —, certains ont le visage buriné, on dirait des paysans, tous sont extrêmement attentifs. Ici, personne ne la ramène, le matériel est presque inexistant, le personnel nombreux. Pas de respirateurs, pas d'écrans : les anesthésistes ventilent les patients à la main, les pressions sont prises sur des manomètres petits comme des montres. Je remarque que les faibles moyens techniques sont compensés par une clinique fine et attentive. L'aspect de la peau, sa température, les pieds chauds ou froids, la sueur, tous ces signes prennent ici une valeur primordiale, quand, chez nous, nous nous rapportons plutôt aux indications des machines. Il n'y a pas de salle de réanimation. L'opération terminée, le malade est amené dans une chambre ; un médecin et deux infirmières vont se relayer jour et nuit jusqu'à ce qu'il se réveille et se libère progressivement de tout ce que nous appelons la réanimation.

À l'hôpital Fu Wai, cinq salles d'opération fonctionnaient toute la journée, aucune agitation, personne dans les couloirs. J'opérais le matin, l'après-midi nous commentions les interventions au tableau noir. Je n'avais jamais enseigné d'aussi près techniques et théorie.

(Aussi près… je me souviens comment, un jour où je soufflais dans mon saxophone avec ces deux-là, le batteur s'était approché du piano, les cymbales presque au niveau du clavier, juste au-dessus, les deux musiciens presque joue contre joue, à s'écouter. Lorsqu'on trouve le rythme dans une opération, elle se déroule avec bonheur. L'opérateur donne le tempo, l'instrumentiste le maintient.)

Je ne sais pas ce que j'ai pu faire passer à ce public de chirurgiens en col bleu Mao. Je voulais m'approcher d'eux. Me mettre en résonance. Ce jour-là, j'avais choisi de parler de l'approximation du geste : sa précision devait-elle être absolue ? quelle liberté le geste pouvait-il tolérer sans entraîner de conséquences négatives ? En d'autres termes, à quelle nécessité de répétition étions-nous tenus ? Quelle était notre marge de manœuvre ? Quel métier faisions-nous, métier de répétition ou d'innovation ? Quelle était la part d'improvisation nécessaire ?

Le jour, la ville était parcourue par un immense fleuve de millions de vélos. La couleur bleue dominait. Il y avait d'autres couleurs aussi, du blanc, souvent, pour les chemises ; les vêtements étaient propres et repassés. Les gens franchissaient de grandes distances soir et matin. Je n'ai pas vu de voitures particulières.

Il arrivait qu'entré dans un magasin, je remarque que l'on me pointait du doigt, tant mon allure semblait bizarre. Plusieurs fois, je dînai avec mes hôtes au restaurant. Rendez-vous à 18 h 45, très bon repas, toasts à l'amitié, conversation chaleureuse et brève, à 20 heures j'étais libre. Je louais un vélo, bien qu'on me l'eût interdit. On l'avait su, et mes hôtes m'avaient reproché cette désobéissance en plaisantant. Mes escapades m'emmenaient loin du centre. Partout le calme, la pauvreté, le juste nécessaire, la rareté. Le silence, aussi, devant cet hôpital psychiatrique dont les pensionnaires prenaient l'air, appuyés contre la façade, ou assis sur un muret, au coucher du soleil, immobiles, les gestes décomposés par les neuroleptiques.

Un jour, espérant me débarrasser d'une douleur à l'épaule réfractaire à divers traitements, j'arrivai dans l'obscurité silencieuse d'une immense salle d'hôpital, dans une usine de tracteurs de la banlieue nord de Pékin où l'on soignait les maux divers des employés par l'acupuncture. Ç'avait fait rire mes collègues chirurgiens que je me tourne vers cette médecine traditionnelle immuable, moi qui taillais dans le vif; ils avaient semblé dubitatifs, mais m'avaient quand même indiqué ce lieu réputé où je me rendis sur ma bicyclette.

Il fallait s'habituer à la pénombre. Puis on découvrait des dizaines d'hommes et de femmes qui portaient des aiguilles plantées çà et là dans l'épiderme, prolongées par une sorte d'étoupe qui se consumait, émettant de fines colonnes de fumée qui se rejoignaient vers le plafond, assombrissant encore plus la pièce, dont on ne distinguait que la partie basse, là où les patients étaient assis ou allongés.

Ce jour-là, l'acupuncture ne fit rien pour ma douleur. Je repartis à la tombée de la nuit. La ville s'éteignait vite. À neuf heures, les rues étaient désertes, les rames de métro vides, les habitations obscures — Pékin dormait.

Répétition à la perfection ou innovation? Ce n'était peut-être pas par hasard que je m'adressai à des Chinois avec cette question. L'innovation avait été le moteur constant de notre démarche, depuis que la chirurgie du cœur était née, trente ans plus tôt.

L'innovation, l'évolution, le changement ont été l'élan de l'art occidental depuis Van Eyck, depuis que l'artiste a fait de sa production un commerce. Notre civilisation est tournée vers l'avenir et son expression, picturale en particulier, en témoigne depuis l'apparition de la peinture à l'huile, qui a donné aux peintres la liberté de mettre en scène les corps dans leurs mouvements, dans leur Éros. Les premiers Chinois construisaient leurs habitations sur les tombes de leurs ancêtres. Les Chinois ont compris depuis longtemps comment organiser leur vie. Leurs références sont tournées vers le passé. Les questions trouvent leur réponse dans la tradition. L'art chinois, presque jusqu'à la fin du XXe siècle, répétait à l'infini, vers la perfection, la représentation ancienne de la Branche, de l'Arbre, de la Montagne, du Ciel… des personnages aussi. Dans la chirurgie de reconstruction valvulaire, nous avons déterminé un cadre technique dont le principe est de permettre de reproduire, de répéter l'opération. À l'intérieur de ce cadre, il existe toutefois une marge d'innovation, de variation selon les infinies diversités pathologiques que la nature crée.

Art de la répétition, de la reproduction, de l'imitation, à l'infini, à la perfection. Art de la variation, de l'innovation, de l'imagination. Orient et Occident se sont opposés jusqu'à une époque récente. Pour ce qui est de nos reconstructions chirurgicales, nous jouons sur les deux registres, entre le sûr et l'instinctif que permet l'expérience. Mais les chirurgiens ne sont pas des artistes; ce sont des artisans qui travaillent la science.

J'ai croisé l'autre jour, dans un congrès à Genève, le vieux Pr Lucio Parenzan, depuis longtemps à la retraite, que j'avais connu du temps de Charles Dubost. Il a été le pionnier de la chirurgie cardiaque des enfants en Italie. Il ne m'a pas dit : « Comment vas-tu ? Qu'est-ce que tu deviens ? » Non, il m'a demandé : « À quoi t'intéresses-tu en ce moment ? » Il avait les yeux brillants, le sourire modeste et gourmand. Je sentais bien le plaisir qu'il avait à évoquer les années de bouillonnement, lorsqu'il était l'âme d'une école qui a marqué son temps. Une école où les élèves écoutent le maître, mais où le maître est avide de recueillir le surgissement d'idées encore embryonnaires. L'échange se fait là, entre des gens qui ont la faculté de s'étonner et la passion de construire peu à peu une cohérence.

Aubervilliers, 1996. Notre université libre accueillait des résidents qui venaient de pays divers : Brésil, Turquie, Inde, Chine, Italie, Algérie… Aujourd'hui, dans une institution privée conventionnée, nous ne pouvons former que des chirurgiens issus de la communauté européenne, avec une équivalence de diplôme, inscrits à l'Ordre des médecins, munis d'assurances… Nous nous sommes coupés de nos échanges internationaux, nous avons perdu le contact avec ces jeunes gens qui nous apportaient leur énergie, leur enthousiasme, leur imagination. Autour des tables d'opération, dans les programmes de recherche, un gai savoir se constituait.

Un matin, l'un d'eux, Satyajit, arrive de Bombay avec une grosse valise. Il m'a écrit qu'il veut se perfectionner, mieux connaître les techniques que nous avons publiées, apprendre à réparer la valve mitrale, surtout. Les premières semaines, il loge dans un temple hindouiste non loin de la clinique. Sa disponibilité est constante, le jour comme la nuit. Il aime Shakespeare, connaît très bien son théâtre et ses sonnets, dont il peut réciter certains par cœur. Il est assurément l'homme le plus cultivé du service. C'est un chrétien croyant, brahmane — la caste la plus élevée, respectée pour sa spiritualité.

Quelques mois après son arrivée, Satyajit me suggère d'utiliser un bêtabloquant à la place du potassium pour arrêter le cœur à température normale. La normothermie a peu à peu trouvé sa place dans la pratique courante, non sans résistance et argumentations conservatrices. Un bêtabloquant d'action rapide pourrait diminuer la consommation d'oxygène du muscle cardiaque dans des proportions encore plus grandes que le potassium, et la protection du cœur au cours des opérations serait dès lors améliorée. Satyajit insiste pour que je teste son idée, qui me paraît logique, mais gonflée. Je vois qu'une porte s'ouvre mais j'hésite à pénétrer dans le nouveau paysage. Un bêtabloquant d'action rapide et brève, on l'utilise déjà pour traiter certains troubles du rythme. Il faudrait augmenter les doses de façon très importante afin d'arrêter le cœur ou le ralentir extrêmement, tout en assurant un retour des battements dans de bonnes conditions, sans effets adverses, sans dégâts collatéraux. Pour savoir si c'est possible, il faut organiser une expérimentation animale, d'abord sur un petit puis sur un gros mammifère ; il faut trouver les fonds, le laboratoire, et quelqu'un qui veuille se lancer dans cette recherche.

Satyajit ne souhaitant pas interrompre son apprentissage dans les salles d'opération, je convaincs Mauricio, un résident brésilien, de partir pour le laboratoire de Roxane Deslauriers, à Winnipeg. Le Canada : moins trente l'hiver, les ours et les moustiques l'été, rien d'autre à faire que travailler… en affrontant la solitude et le doute qui insiste : cette histoire de bêtabloquants, était-ce vraiment une bonne intuition ? Cela justifiait-il de développer autant d'énergie ? Mais deux ans plus tard, l'homme du Grand Nord publie dans la revue américaine *Annals of Thoracic Surgery* un article qui prouve l'efficacité et l'innocuité de la méthode. Le cœur des moutons s'arrêtait à la demande et reprenait parfaitement ses battements : nous étions donc prêts pour l'utilisation humaine. Du jour au lendemain, il fallait faire le saut, décider d'opérer… Serrement de cœur.

Un patient qui présentait une contre-indication à l'utilisation du potassium en raison d'une grave insuffisance rénale provoqua la première intervention avec cette technique. L'opération fut un succès : ça marchait, impeccable. Après de nombreuses autres, une seconde publication montra la supériorité du bêtabloquant à action rapide et brève, qui fut toutefois réservé à certains cœurs particulièrement fragiles à cause de son coût beaucoup plus élevé que le potassium. L'hypothèse de Satyajit connut ainsi, à l'époque, un destin limité.

Lui-même était devenu un chirurgien accompli. Et j'avais d'autant plus confiance en lui qu'il apportait une grande sérénité autour du patient. Cependant, j'avais senti chez lui une fragilité : il lui arrivait de chavirer sous l'effet de situations inconnues. Si, au cours de nos longues interventions quotidiennes, une infirmière lui disait quelque chose comme « Satyajit, magne-toi la rondelle », il basculait dans un autre monde. Lui, un homme de la haute caste, être bousculé ainsi !

Parti un mois dans sa famille à Bombay, Satyajit revint très anxieux et agité. Il me dit qu'une sombre conspiration avait été fomentée contre lui par des proches de sa femme à propos de son divorce. Il avait même été drogué lors d'une soirée au pays. Il craignait qu'on ne lui ait fait dire des choses compromettantes — quoi exactement? il ne s'en souvenait pas. C'était une question de réputation, vis-à-vis de ses parents surtout. Je tentai de le rassurer : les divorces sont souvent difficiles, surtout lorsque l'entourage s'en mêle, prend parti… Mais mes phrases convenues ne calmaient pas son angoisse. Il disparut, demeura introuvable quelques jours, et reparut plus inquiet encore. Après m'avoir fait promettre le secret, il me raconta que lors d'un rendez-vous à la Rhumerie martiniquaise, boulevard Saint-Germain, avec un cousin de sa femme restée à Bombay, il avait encore été drogué. Une potion versée dans son verre, puis le trou noir pendant trois jours — aucun souvenir.

Comme il était convaincu que la conspiration le poursuivait, je lui proposai d'habiter chez moi. Ma compagne d'alors, éprise de clinique psychiatrique, lui servant son repas, un soir, dans sa chambre, Satyajit lui demanda d'éloigner le couteau qui barrait son assiette. Dangereux le couteau, dangereux Satyajit, dit-elle. Un psychiatre fut consulté. « Il s'agit d'un délire de persécution, il est réellement dangereux. Une mesure s'impose en plus des médicaments : l'éloignement des salles d'opération. »

Les chirurgiens, leurs couteaux, leurs bistouris… seraient

bien capables de vous découper en tranches à l'occasion d'une bouffée délirante, allez savoir ! Pour ce psychiatre, les chirurgiens pouvaient être des gens dangereux, des assassins en puissance : il faut être un peu fou pour faire ce métier ; un grain de plus, et la scène bascule. Leurs mains se confrontent à cette particularité : le même geste peut guérir, il peut tuer aussi. Ainsi les chirurgiens suscitent-ils un sentiment où la défiance — car leurs décisions leur appartiennent ; stratégiques, dangereuses, elles commandent à leurs mains — se mêle à l'admiration — car leur expérience est unique, ils connaissent le secret de la scène de l'intérieur, sous l'enveloppe de la peau, lieu de fantasmes, d'élaborations imaginaires.

Je ne partageais pas l'inquiétude du psychiatre ni sa vision d'un théâtre changeant subitement de décor, le protagoniste, transporté sur la scène d'un meurtre, élevant son bistouri et transperçant le cœur persécuteur. En salle d'opération, plutôt que d'envisager le corps dans son ensemble, à travers ce qu'il a de vivant, de souffrant, d'érotique éventuellement, avec la peau comme apparence et comme protection, les chirurgiens ont affaire aux anatomies, à leurs anomalies, leurs dysfonctionnements. La remise en ordre, voilà ce qui les préoccupe.

Pendant quelques semaines, Satyajit passa ses journées dans mon bureau, immobile, prononçant quelques mots, très peu, concentré peut-être, en proie à sa solitude, à ses obsessions. Un fil le maintenait en équilibre : l'hôpital, la participation à notre activité de reconstruction chirurgicale. Je ressentais intuitivement, mais de toute la force d'une évidence, qu'il ne fallait pas le couper de cela. Plus tard, il revint progressivement en salle d'opération. Il s'apaisa de cette incommensurable souffrance que peut provoquer l'angoisse.

Un an après, il était appelé pour occuper un poste à Calcutta. Il s'est remarié, m'a envoyé une photo de son fils. Il avait renoué avec cette confiance absurde et superbe qu'on a parfois dans la vie.

Simplicio occupe un poste de réanimateur dans une clinique vouée à la cardiologie située près d'une boulangerie. Simplicio, c'est comme cela que j'ai d'emblée surnommé en mon for intérieur ce type sympathique, rassurant : les pieds sur terre, bien plantés, une tête de bouledogue — toujours prêt à se frotter affectueusement à ses proches collaborateurs.

Simplicio m'intéresse — me fascine, même. Je sais chaque fois dans quel sens vont pencher ses préférences, ses choix techniques et scientifiques, tant la cohérence de sa façon de penser le rend prévisible. La logique de ses raisonnements, il est capable de la soutenir avec entêtement, violence si nécessaire. Les méthodes qu'il applique ont *fait leurs preuves,* comme on dit ; le savoir est constitué de longue date, inaltérable. Et Simplicio déteste l'innovation. À ses yeux, la nouveauté survient comme une injure aux dogmes, la contradiction est une source de confusion qu'il convient de toute urgence de faire disparaître. Et la médecine, dans sa magnifique amplitude, doit rechercher les causes des phénomènes qu'elle constate.

L'homme m'exaspère, aussi, et je sais maintenant pourquoi ce surnom m'est venu à l'esprit, après quelques semaines de collaboration. Simplicio, c'est le représentant des idées traditionnelles, l'expert aristotélicien du *Dialogue sur les deux grands systèmes du monde* de Galilée, une lecture qui m'a passionné jadis. Pas un traité, un poème — avec ce livre, comme l'a dit Brecht, notre monde a définitivement « pris le large ».

1604 : une nova s'allume dans le ciel d'octobre. Les cieux seraient donc eux aussi soumis au changement, à la corruption ? On touche à la quintessence. La doctrine ne saurait l'admettre. On vit à une époque où l'on risque d'être accusé d'innovation, où toute nouveauté peut être assimilée à une hérésie. Mais Galilée montre que l'étoile, absente auparavant, a bien fait son apparition dans la sphère des fixes. Peu à peu, il s'éloigne du « monde de papier » d'Aristote, l'oppose au monde sensible et remet en question le raisonnement lorsqu'il ne s'appuie pas sur l'expérience : il faut, dit-il, « ne faire intervenir le raisonnement qu'après l'expérience ; une erreur peut se glisser dans un raisonnement et même s'y trouver profondément enfouie, alors que l'expérience sensible ne peut être contraire à la vérité ».

À la fin de sa vie, Galileo Galilei restreint ainsi la science à l'étude des phénomènes susceptibles d'être expliqués par « les expériences des sens et des démonstrations nécessaires ». Il renonce à l'étude des causes, rejetant cette démarche du côté des croyances et de la théologie, pour s'intéresser aux lois. La science, pour lui, est un outil de recherche perpétuelle de la vérité de l'univers — fluctuante, mobile, où le consensus précède souvent la preuve, et non vérité d'airain. La science procède par approximations successives et ne répugne pas à la contradiction : Galilée avance, dit-il, « malgré [ses] contradictions, peu nombreuses, mais qui ont montré leur fécondité ». Et il se défend de s'éloigner d'Aristote, persuadé que le philosophe, s'il revenait sur terre, ne refuserait pas de l'accueillir parmi ses disciples.

La révolution scientifique ne s'est pas effectuée en un clin d'œil, ni même en quelques décennies. Cette transformation est survenue sur une longue période au cours de laquelle les idées modernes ont côtoyé, chez les mêmes savants, la scolastique médiévale, le néoplatonisme et l'hermétique de la Renaissance, qui a déterminé une attitude nouvelle de l'homme par rapport au cosmos. Par bien des aspects, cependant, ce surgissement reste mystérieux.

Il serait naïf et réducteur de croire qu'une pensée conservatrice d'aujourd'hui serait comparable à la mentalité du Simplicio de Galilée. Mon rapprochement ne se réclame pas d'une analogie mais d'une simple association d'idées — d'un moment d'imagination : un dialogue, deux mondes, trois rôles, Salviati formulant, face à Simplicio, des arguments destinés à étayer une vision nouvelle, Sagredo incarnant un candide suffisamment cultivé pour accueillir des idées neuves.

Sagredo, ce serait donc le second réanimateur, qui travaille quotidiennement avec Simplicio. Sa taille contraste avec celle de notre aristotélicien. Outre qu'il sort deux canines ébahies quand il sourit, son grand corps dégingandé prend des attitudes bizarres : s'il doit se baisser, il préfère se mettre à genoux — là, il dépasse encore d'une tête son collègue Simplicio. Vu sous son meilleur profil, l'automne, entre chien et loup, moins la moustache, il ressemble à Staline.

Moi-même, fils d'immigrés italiens, je me verrais en Salviati, bien sûr (je ne me prends pas pour Galilée, rassurez-vous). Certains disent que je ferais bien de penser à la retraite. En réalité, et sans fausse modestie, j'ai plutôt l'impression que ma beauté fait tache. J'ai certes un ventre confortable, qui me permet de reposer mes avant-bras, mais mes chevilles sont fines et racées, et je ne rechigne pas à les montrer en portant des pantalons un peu courts, comme certains curés qui sont fiers de leurs chaussettes.

SIMPLICIO : Le patient que tu as opéré hier doit subir une anticoagulation efficace associée à un traitement antiagrégant plaquettaire.

SALVIATI : Certes, oui. Assurons-nous cependant que le patient ne saigne pas. Tu sais que ça peut arriver.

SIMPLICIO : Je te résume la situation : la veille de l'opération, M. Landru a subi la pose de deux stents sur les coronaires. Pour éviter qu'ils se bouchent, la Société européenne de cardiologie préconise la prescription de deux antiagrégants plaquettaires, le Plavix et l'aspirine, chacun agissant à un niveau différent dans le phénomène d'agrégation.

SALVIATI : Certes.

SAGREDO : Tu as opéré ce patient en urgence avant-hier d'un remplacement de la valve aortique. Il est donc recommandé de lui administrer un traitement anticoagulant efficace. Comme tu le sais, les anticoagulants agissent différemment des antiagrégants plaquettaires. Nous relaierons l'héparine, pour l'effet immédiat, par des comprimés d'antivitamine K qui mettront quelques jours à agir pleinement.

SALVIATI : Ça va faire beaucoup.

SIMPLICIO : Une troisième recommandation nous incite à donner des doses conséquentes d'anticoagulants car M. Landru présente une fonction ventriculaire gauche altérée, donc un risque de thrombose aggravée.

SAGREDO : Nous lui avons prescrit, en accord avec les écrits, du Plavix et de l'aspirine, de l'héparine et un antivitamine K !

SALVIATI, *inquiet* : M. Landru a quatre-vingt-sept ans ! Toutes ces drogues risquent de potentialiser leurs effets. Je crains les complications hémorragiques : ça va saigner !

SAGREDO : Oui, mais les stents, la valve artificielle, le ventricule gauche fatigué… il faut penser à tout.

SALVIATI, *a parte* : L'honnête homme ! Il se prémunit ! (*Tout haut.*) Si on regardait ce que font nos collègues dans ces cas-là ? Je me souviens que nous avions largement allégé le traitement chez un patient très âgé dans une situation similaire.

SAGREDO : Effectivement, à force de vouloir être complets,

nous avons observé plusieurs incidents hémorragiques… On a envie à la fois d'être prudent et au plus près des recommandations.

SALVIATI : Et si on téléphonait au vieux MacLintock à Chicago ? Ce type sait très bien tirer les leçons d'une analyse fine des événements. Il a une grande expérience dans ce genre de trucs.

SIMPLICIO : On ne peut pas travailler tranquillement ici ! Il faut suivre les recommandations, prévenir les familles que la situation est grave…

SAGREDO, *pensif* : Il garde son indifférence pour la souffrance et sa cruauté pour les familles !

SIMPLICIO : Arrêtez avec les analyses fines et les synthèses acrobatiques ! Pourquoi devrait-on s'en remettre à MacLintock, ce vieux gauchiste qui appelait à voter Al Gore ?

SAGREDO, *toujours pensif* : Ils vont s'énerver et je ne saurai pas quoi prescrire ! Je suis de garde ce soir… Salviati est parti téléphoner à MacLintock ! Avec le décalage horaire, il va le réveiller, l'autre va lui dire aspirine et antivitamine K et il va se rendormir !

SIMPLICIO : C'est MacLintock qui commande ici et il n'est même pas réveillé !

Après l'opération, en réanimation, le patient est particulièrement fragile. Car le corps est en déséquilibre. Les mécanismes de ce déséquilibre sont d'une très grande complexité : une chute durable de la pression artérielle peut entraîner des effets mécaniques et biologiques en cascade, des altérations des fonctions cérébrales, hépatiques et rénales qui interfèrent, créant un chaos physiologique aux multiples cercles vicieux. Pour le réanimateur, la tentation est de raisonner en entrant dans les méandres des causes et des effets. Élucubrations sans fin, toujours renouvelables, puisqu'à l'amorce toujours mouvante. Au bout du compte, décisions variables, forcément relatives, selon le point d'entrée dans les méandres. Cette tentation est d'autant plus forte que ce mode de raisonnement parle à l'imagination, avide de cosmologies, de mondes cohérents. Une attitude plus rigoureuse est la référence constante à l'expérience, notre propre expérience bien sûr, si nous sommes capables d'en faire l'analyse, mais aussi celle des autres, ceux qui se sont fait connaître pour s'être intéressés avec bon sens et rigueur à la question qui nous taraude, en face de celui qui est en danger.

Portée à l'extrême, cette attitude que je défends peut rencontrer un écueil, le recours systématique aux recommandations des experts. Les sociétés savantes éditent en effet des recommandations qui, si elles servent de références, peuvent aussi apparaître comme un corpus de savoir constitué figé et stérile. La référence constante aux recommandations des experts pourrait bien ressembler à un recours frileux au principe de précaution. Cela me ramène à la question : que faire d'une théorie, d'une masse de savoir établi ? Il faut chercher la distance juste entre deux écueils, une adhésion intime et aveugle, et un flottement relativiste et stérile.

« Raconte-moi ta première opération. »

Ce matin-là, je m'habillai nerveusement. D'actes manqués en hasards malheureux, j'avais dû chercher mes chaussettes qui s'étaient égarées sous mon lit, une grue s'était effondrée et barrait ma route vers l'hôpital, le moteur de ma voiture tournait sur trois cylindres, ce que j'entendais distinctement, et la panne d'allumage s'annonçait, rendant plus aléatoire et brumeuse cette première intervention — que je devais réaliser seul pour la première fois…

Non, ce scénario n'existe pas. Il n'y a pas de première opération. La chirurgie du cœur s'apprend progressivement. Pendant des années, on tient le second rôle; on accède peu à peu, l'un après l'autre, aux gestes les plus simples d'abord, mais dont les conséquences sont immédiates, mécaniques et biologiques, puis au temps central de l'opération. Il faut apprendre ces gestes — ouvrir, fermer le thorax, installer la circulation extracorporelle —, apprendre à les rendre routiniers, et aussi à se dédoubler : les yeux à la fois sur le champ opératoire et sur l'écran qui rend compte des divers paramètres de la survie du patient. Ce métier s'apprend, s'enseigne, comme un artisanat, dans le temps, par la parole, l'observation. L'expérience, la manière d'analyse se transmettent, et le style. Qu'est-ce qu'on attend du maître, sinon qu'il nous enseigne, plutôt que les réponses, la manière d'aborder les questions — comment rendre l'ignorance fertile ?

Les chirurgiens citent leurs maîtres en artisanat, bien en évidence dans la cascade des générations. Leur présence persiste, qu'elle ait été bénéfique — imprimant son style à la recherche clinique — ou stérile — lorsque certains patrons se sont plutôt identifiés à des chefs de bande.

L'enseignement peut aussi prendre des allures spectaculaires quand il s'adresse à un public de chirurgiens et que l'explication ne suffit pas. Il faut alors montrer, mettre en scène des opérations filmées et retransmises dans un amphithéâtre par circuit interne ou par voie satellite. Là, il faut opérer, garder en ligne de mire le patient, la réparation des lésions, en laissant la place à la caméra qui filme au-dessus de l'épaule de l'opérateur, tout en expliquant les gestes à un public situé au-delà des murs.

Les ateliers vidéo étaient très à la mode dans les années 1990 pour dénouer les mystères de la réparation de la valve mitrale. Le Club mitral dirigé par Alain Carpentier a vu passer plusieurs générations de chirurgiens qui se formaient à la reconstruction. Chaque session devenait un événement, le public venu parfois de loin s'y pressait à l'affût de quelque chose de nouveau, un détail, un point central, un changement de cap.

Ce jour-là, l'amphithéâtre était plein. Alain Carpentier se trouvant devant des lésions typiques et relativement simples à réparer voulut montrer combien sa technique était fiable et facilement reproductible. Il était assisté d'un jeune chirurgien timide et talentueux. Pour étayer sa démonstration — c'est si simple —, Alain déclara que son jeune assistant allait réaliser l'opération, décision inopinée qui tint le public suspendu. Il recula pour faire passer l'aide à sa place.

Celui-ci n'apparut que quelques secondes devant la caméra : arrivé devant le champ opératoire, il s'effondra sous la table. Malaise vertigineux, sous les feux d'une gloire inattendue.

Pourquoi s'évanouit-on en salle d'opération ? C'est un mystère. Paul Valéry s'en étonne dans son *Discours aux chirurgiens* : « Je ne vous ai jamais vus officiant ; et je doute fort que je puisse supporter cette vue, — faiblesse assez commune [...]. Cette défaillance réflexe est des plus mystérieuses. Il me souvient d'avoir vu un enfant de trois ans à peine s'évanouir devant quelques gouttes de sang échappées d'une coupure insignifiante que s'était faite une personne auprès de laquelle il jouait. Cet enfant n'avait aucune idée de la signification tragique du sang ; et la personne entamée ne montrait que l'ennui d'avoir taché sa robe... Je n'ai jamais pu m'expliquer ce petit effet. » Et de citer Restif de La Bretonne : « La vue du sang me faisait tomber sans connaissance, avant même que l'usage de la raison me donnât une intelligence parfaite de ce qu'on disait. »

En médecine, on appelle ça un malaise vagal. On parle d'activation du système parasympathique, mais la cause reste une énigme. J'ai interrogé des spécialistes de toute espèce : des neurologues, des philosophes, des apothicaires — aucun n'a pu m'expliquer pourquoi on s'évanouit à la vue du sang ou quand on entre dans une salle d'opération. Et pourquoi on ne s'évanouit pas à la vue d'un flic, d'un CRS, d'un juge — et même d'un chirurgien. Je n'ai pas vu d'évanouissement, non plus, lors de mon séjour au Moyen-Orient, où j'étais témoin d'une situation de violence, de crime et de danger véritable. Il y a des gens plus sensibles que d'autres, pourrait-on dire : les durs à cuire ne s'évanouissent pas. Pas si simple. Je crois pouvoir montrer, avec les années de pratique de la chirurgie, que je résiste bien à l'ambiance des salles d'opération et à la vue des anatomies. Pourtant j'ai beaucoup de difficultés à m'approcher d'un blessé de la route. Je le fais, mais toujours avec une extrême appréhension.

Alors que j'étais étudiant en médecine, je conduisis d'urgence, au milieu de la nuit, la femme de mon frère qui avait perdu les eaux au huitième mois de sa grossesse. Je demandai donc à l'accoucheur la permission d'assister à cette naissance, sans omettre de décliner, fièrement, ma qualité de presque médecin. « Bien sûr, cher confrère. Vous êtes chez vous ! » Je me vois avancer dans cette salle d'accouchement après avoir enfilé une blouse, un chapeau et une bavette, et m'effondrer, évanoui, à la simple vue de l'installation de ma belle-sœur sur la table. L'urgence de l'accouchement fut différée. On me réanima, on me mit les jambes en l'air, un linge mouillé sur le front, je reçus d'humiliantes petites claques sur les joues. L'appellation « malaise vagal » atténua cette atteinte à ma fierté et à mon statut de jeune docteur.

Quand on entre dans son bureau, une photo de lui est en évidence sur un pan entier de mur. En marathonien, dossard numéroté, l'œil sur l'objectif du photographe, il passe la ligne d'arrivée, la tête penchée. Se frotterait-il à l'au-delà de ses forces ? Non, le corps est robuste, dense et sec ; sa fraîcheur contraste avec l'expression que lui donne la déflexion de l'ensemble tête et cou.

François Patounet a un physique à tout faire. Il pourrait faire le curé dans un film de Pasolini, un astrophysicien dans un documentaire sur la recherche de poussière d'astéroïde dans les glaces de l'Antarctique ; il pourrait aussi faire le juge dans un film de John Ford. Personne, enfin, ne s'opposerait à l'engager comme entraîneur au Paris-Saint-Germain, costume-cravate au bord des stades. C'est la densité de son corps qui le rend parfaitement adaptable à toutes sortes de situations. Vous avez un rôle, j'ai la figure. On ne peut pas parler de beauté chez François Patounet, on ne peut pas non plus repérer une expression particulière, une quelconque attraction de la lumière qui viendrait du triangle situé sous son crâne dégarni et formé par les yeux, la bouche — non, son charisme vient de la densité de son corps, simplement.

Un bouchon dans la mer, le temps est beau, la mer est plate, il flotte. La bourrasque survient, la mer est démontée, l'écume dégouline de la crête vers les creux, il est là, il flotte entre deux eaux, disparaissant, apparaissant. Cet homme est médian, au sens du centre de gravité d'un bateau, juste près du mât, là où tangage et roulis se perçoivent le moins. Il est à la médiane d'une institution qui tire sa force avant tout d'un effet de masse : vingt cardiologues liés dans une aventure médicale et économique. Comme toute entreprise, l'hôpital cardiologique situé près d'une boulangerie se présente avec sa culture, que son histoire a peu à peu élaborée, ses conflits, ses rivalités, parfois très anciennes, souvent sans cause, ou plutôt dont la cause a été oubliée depuis longtemps. Les cardiologues sont le noyau de cette entreprise, et ils ont tendance à se méfier des autres corps de métiers.

Cette communauté de cardiologues associés, actionnaires, fonctionne un peu comme un couvent. Les orientations et les décisions importantes émergent de l'écume et flottent dans un consensus élaboré dans les couloirs, à travers des réseaux d'influence subtils. Une nouvelle orientation ne sera jamais soumise au conseil de surveillance pour être discutée telle quelle. Au conseil de surveillance, censé suivre de près la gestion du directoire, on compte les petites cuillères et les revenus de la location des télévisions. Si un nouveau directeur doit être élu, l'ordre du jour signale

« questions diverses ». Et sous cette rubrique, soudain, à main levée, ceux qui sont présents ce jour-là élisent le fils d'un des fondateurs qui, sans hésiter, s'installe dans une fonction qui lui revient d'un droit probablement acquis dès son plus jeune âge.

Cette institution a été fondée à la suite des événements de 68 par un cardiologue bien ancré au parti communiste, dans une commune communiste, avec l'ambition de faire de la bonne cardiologie en dehors et à distance des pouvoirs universitaires d'où il avait été exclu. Si inoffensive qu'elle fût, la vague de contestation des jeunes cardiologues envers leurs patrons avait fait peur — les corps constitués ont horreur qu'on les effraie. Il y eut donc une redistribution des carrières et, bizarrement, cette redistribution des cartes favorisa le développement d'une activité cardiologique conventionnée, avec rémunération en masse commune, meilleure garante de la solidarité économique — la solidarité pourrait-elle d'ailleurs être autre qu'économique ? — donc de solidarité tout court.

Chaque institution a son équilibre propre, chaque équipe aussi. Il y a des signes qui témoignent de la qualité du travail, de la réussite d'une équipe, d'une administration.

J'avais compris combien le travail était rodé, fluide, l'atmosphère détendue en apercevant cet enfant de trois ans qui sortait de salle d'opération à onze heures, ce matin-là. Il allait bien, c'était évident ; les anesthésistes et les panseuses qui l'accompagnaient vers la salle de réanimation plaisantaient, calmes et souriants. L'enfant avait subi une intervention délicate, déjà terminée. Nous étions à Hô Chi Minh-Ville, dans un hôpital qu'Alain Carpentier avait fondé quelques années auparavant. Ces signes montraient que l'équilibre avait été trouvé entre les anciens, venus de Paris pour enseigner, les jeunes chirurgiens vietnamiens et leurs traditions respectives.

Que le pouvoir soit distribué de façon horizontale ou pyramidale, que la structure soit privée ou publique, l'émulation dans le travail, l'attention aux indications et aux résultats sont toujours liées à l'implication, à l'enthousiasme, au charisme de quelques-uns — une petite minorité le plus souvent.

Dans le couloir en face de la salle de réanimation, la famille est très inquiète. L'opération, qui devait durer trois heures, s'est prolongée interminablement. Simplicio est là : « Quoi qu'il en soit, on ne vous rendra pas un légume. » Sous ses airs de bon bouledogue, Simplicio a parfois la métaphore cruelle — et particulièrement inconséquente dans l'affaire qui nous préoccupe ici.

« Quel est le risque de l'opération que je vais subir demain, docteur ? » demandent les patients. Dans ce cas, il s'agissait d'une deuxième intervention. Le patient avait subi des pontages coronaires des années auparavant ; depuis, la valve aortique s'était calcifiée, il fallait la changer.

Que répondre à cette question ? D'ailleurs, quand elle n'est pas posée, il est nécessaire de l'aborder, de même qu'on parle du réveil, des douleurs éventuelles, du mode de vie par la suite. « Le risque que vous courez pour cette intervention est statistiquement faible. On peut l'évaluer autour de 2 % pour ce qui regarde la mortalité. Certes, il s'agit d'une réintervention, ce qui augmente le risque, bien que de façon peu significative, par rapport à la première intervention. Le risque existe, insistai-je, comme je le fais toujours. Mais vous pouvez être rassuré. Pour un homme jeune en bon état général, dans la grande majorité des cas comme le vôtre, les choses se passent bien. En dehors du risque vital, il y a un risque de complications. Je ne vais pas vous les énumérer, elles sont nombreuses, mais heureusement elles sont rares. Soyez tranquille. Passez une bonne nuit. Votre femme peut m'appeler demain vers midi, je lui donnerai des nouvelles. »

Si faible que soit le risque, de 1 ou 2 % par exemple, lorsque l'opération tourne mal, pour le patient, c'est alors 100 %. Curieusement, lorsque, dans certains cas gravissimes, on dit à la famille : « Le risque est très élevé, on va tenter l'impossible pour le sauver », si l'opération tourne mal, c'est presque dans l'ordre des choses : la situation était désespérée, ils ont fait ce qu'ils ont pu, il est mort ; si elle réussit, c'est d'ailleurs presque normal : c'est bien ce que l'on espérait, on était là pour ça.

Le lendemain fut une journée noire. Lorsque je sciai le sternum, je fus confronté à une énorme hémorragie — nous disons cataclysmique. Celle-ci était due à une plaie de l'aorte ascendante qui adhérait intimement au sternum, fait exceptionnel que je n'avais moi-même jamais observé. Sur le scanner, on peut voir que l'aorte est proche du sternum, mais on ne peut pas évaluer la densité des adhérences qui risquent d'entraîner sa rupture quand le sternum sera écarté. Il fallut installer à toute vitesse la circulation extracorporelle, disséquer en un clin d'œil, mobiliser toute l'équipe, faire l'impossible. La situation était véritablement désespérée : le malade était vidé de son sang lorsque la circulation extracorporelle fut installée. C'était foutu — dans la salle d'opération, tout le monde le pensait. Le perfusionniste me demanda : « Pourquoi continuer ? » C'est une décision qu'il m'arrive de regretter aujourd'hui : j'ai continué, et il est probable que, confronté à la même situation, je le referais.

La valve fut remplacée, l'aorte fut réparée, l'assistance circulatoire permit au cœur de récupérer. Quelques jours plus tard, le malade en réanimation donna des signes de réveil. Nous croyions au miracle.

Il se réveillait, mais ce rayon d'optimisme n'était pas franc. Petit à petit, avec les jours, avec les semaines, je compris que cet accident allait laisser des traces. Pourtant, nouvel espoir : avec la rééducation, avec le temps, retrouverait-il une vie proche de la normale, parviendrait-il à acquérir une certaine autonomie ?

Les mois ont passé, puis les années. Aujourd'hui, sa vie est brisée, il est cloué dans un lit d'hôpital, sa famille est désemparée. Il communique par bribes mais il fait comprendre qu'il voudrait mourir.

Certains échecs ne s'oublient pas. Dire que le risque est statistiquement faible, et même très faible, c'est aussi dire qu'il est là, et bien là.

Si vous entrez dans une salle d'opération au moment central d'une intervention sur le cœur, vous verrez que le chirurgien coud. Quelle que soit sa préoccupation du moment — l'avenir du patient, ses chances de se rétablir, la reprise et la force des battements, la façon dont il protège la survie du muscle cardiaque —, il coud. Il coud avec un fil et une aiguille : un fil tressé, ou bien d'un seul tenant, et une aiguille courbe, en demi ou en quart de cercle.

Le geste de coudre a traversé l'histoire. Il nous vient même de la préhistoire, à travers ce pur objet de civilisation qu'est l'aiguille à chas (que nous utilisons encore, en chirurgie, quand le fil se rompt). L'aiguille fut, parmi les premiers outils qui ne servirent pas à tuer, celui dont on peut supposer qu'il changea la silhouette, l'allure des humains du paléolithique. Taillée dans l'os, pointue et percée à la base, elle permit d'assembler les peaux et d'ajuster les vêtements, jusque-là simplement drapés, sur le corps, comme cette femme emmitouflée dans sa veste en forme d'anorak avec sa capuche, gravée d'un trait à l'âge de la pierre taillée, sur une paroi de la grotte du Gabillou.

Le chirurgien ne tient pas l'aiguille entre ses doigts. Il la tient au bout d'un porte-aiguille, un instrument délicat, qui permet des gestes précis ; plus ou moins long, plus ou moins puissant, il est équilibré, pas trop léger non plus, pour effacer le tremblement. De l'autre main, le chirurgien s'aide avec une pince, dite pince à disséquer, elle aussi d'une longueur, d'un poids, d'une finesse adaptés à la distance, à la fragilité des tissus, des vaisseaux qu'il faut assembler — anastomoser. Essentiellement, nous cousons des vaisseaux sanguins parfois très fins, les artères coronaires, parfois volumineux comme l'aorte. La couture ne doit pas rétrécir le vaisseau ; elle doit aussi être étanche à la pression sanguine.

L'intérêt pour la couture des vaisseaux sanguins date d'un peu plus d'un siècle. En 1902, Alexis Carrel a décrit rigoureusement, en détail, les principes des sutures vasculaires ; il a reçu le prix Nobel pour cela en 1912. Pendant la guerre de 1914, il a aussi mis au point avec Dakin un liquide antiseptique pour soigner les blessures. Grand travailleur, esprit curieux, c'était un étrange savant, ce Carrel dont, aujourd'hui, on débaptise les rues et les institutions qui portent le nom. Hanté par la notion de pureté de la race, il est l'auteur d'un livre tragico-burlesque, *L'Homme cet inconnu*, où il développe ses fantasmes d'une aristocratie biologique héréditaire.

Le 24 juin 1894, l'anarchiste italien Santo Caserio porte un coup de poignard fatal au président Sadi Carnot, il lui traverse le foie et sectionne la veine porte. Alexis Carrel a vingt et un ans et, étudiant en médecine, il fait tout ce qu'il peut pour assister à l'agonie du Président. Il constate alors à quel point les chirurgiens sont incompétents : ils ne parviennent pas à suturer les vaisseaux blessés, à leur rendre leur continuité et leur étanchéité, ils ne savent pas comment s'y prendre. Carrel isole le problème : c'est une question de couture. Il va ainsi s'intéresser à la couture, simplement ; rendre visite aux dentellières du Puy pour se former à la manipulation du fil et des aiguilles.

Et il découvre le monde des points : point de bâti ou faufilage, surjet, surpiquage, point devant, arrière, de piqûre, de chausson, de côté ou point caché, de croix, de feston, de chaînette, en nid-d'abeilles… Et la couture anglaise, rabattue, plate, simple aussi… Et le point de Venise, pourquoi pas.

La nécessité fonctionnelle de la chirurgie vasculaire — étanchéité de la suture et respect du diamètre du vaisseau — a progressivement simplifié les points à mesure que la qualité des fils s'améliorait. Les deux types de sutures utilisées habituellement dans la plupart des situations sont le surjet et le point séparé (on coupe le fil à chaque point), avec quelques variantes « loin près » (des bords), sans autre artifice.

Ce n'est pas parce que mon arrière-grand-père paternel, Marco Frank, aujourd'hui enterré au cimetière juif de Venise, a ouvert dans cette ville ce qui devint le premier grand atelier de couture en Italie que je me suis trouvé plongé de façon atavique dans cette activité de couture sur le vivant. Laissons au doute, cependant, la possibilité d'une transmission gestuelle analogique à travers deux générations : je pensais n'avoir jamais cousu quelque vêtement que ce soit, ni bouton ni ourlet, jusqu'à ce que Michel, mon ami depuis l'enfance, m'offre une photo.

Je suis assis sur une chaise en métal, près d'une fenêtre où passe une lumière blanche, la cheville gauche appuyée sur le genou droit. Derrière moi, un tissu sale habille le mur. Un fatras de boîtes en carton et d'objets indistincts recouvre une console. Je porte un gros chandail jacquard noir et blanc et un fuseau vert bouteille ourlé de rouge. À mon pied déchaussé, sous une épaisse chaussette de laine — de celles qui s'imprègnent de l'humidité ambiante —, gît une volumineuse chaussure à lacets. J'ai vingt ans. Une aiguille à la main, visiblement très concentré, je recouds la patte qui maintient sous le pied mon pantalon de ski. Je couds.

En prolongeant le décor au-delà du cadre de la photographie, je reconnais le refuge du sommet de l'aiguille du Midi. Je retrouve la sensation d'altitude — combien on a le souffle court, là-haut. Pourtant l'image exprime une grande sérénité. Ce geste, je l'accomplis tranquillement, temps suspendu. Il faut croire qu'il m'avait semblé nécessaire de recoudre mon fuseau avant d'entreprendre la descente de la Vallée blanche.

Aujourd'hui, cet instant n'existerait pas — ni le décor ni l'accoutrement, encore moins le souci de réparer un pantalon au sommet d'une aiguille et la demande naturelle d'une boîte à couture au gardien du refuge.

Marco Frank habillait les têtes couronnées, l'aristocratie et les grands de l'Europe de la seconde moitié du XIXe siècle. Originaire du village de Mágocs, près du lac Balaton, il avait combattu avec Kossuth contre la dynastie des Habsbourg pour l'indépendance de la Hongrie et avait émigré. Né Moritz, il se prénomma Marco, en l'honneur du protecteur de la ville, à son arrivée en exil à Venise, en 1848, à l'âge de vingt et un ans.

Mon grand-père Ignacio, l'un de ses fils, par ailleurs déjà marié, fut séduit par une jeune chrétienne couturière dans l'atelier de son père. Leurs enfants — ils en eurent dix — portèrent le nom et furent élevés dans la religion de la mère. C'est là que, dans ma famille, à cause de cet étrange arrangement, le judaïsme cessa de se transmettre. Silence là-dessus.

J'ai des photos de mon grand-père Ignacio, belle tête de Juif d'Europe centrale, entouré de sa femme Elvira Lezzana — avec deux *z*, qui furent par la suite remplacés par des *s* — et de neuf de ses enfants. Dans la famille, on dit qu'ils en ont eu neuf; j'en ai découvert un dixième à l'état civil de Venise, l'aîné Romano, mort à l'âge de neuf ans. Personne n'a jamais parlé de lui, ni mon père, ni mes oncles, ni mes tantes. Silence aussi.

Ignacio avait un frère, Angelo, amiral de la flotte italienne. Mélange des genres : il épousa une fille de la famille du tristement célèbre pape Pie XII. Mais en 1923, lorsqu'il dut jurer fidélité à Mussolini, il se suicida. Les lois raciales n'effrayèrent pas un autre de mes oncles qui, lui, ce crétin, chemise noire, participa à la marche sur Rome. Il mourut, cet oncle, du typhus, quelques jours avant ma naissance. Il s'appelait Arrigo, on m'appela Arrigo.

Je ne sais pas si on disait haute couture à l'époque. Arrière-petit-fils d'un grand couturier, j'ai plutôt fait dans la fine couture : les pontages coronaires, voilà de la couture fine. Les coronaires, vaisseaux de un à trois millimètres de diamètre, courent à la surface du cœur ; l'athérome les bouche progressivement. Le pontage consiste à amener le sang en aval des zones rétrécies.

Pendant longtemps, on a utilisé les veines des jambes, que l'on prélevait pour les interposer entre l'artère coronaire et l'aorte. On s'est aperçu que ces veines dites saphènes avaient tendance à s'obstruer avec le temps. Et ce sont les artères mammaires qui se sont révélées être le meilleur matériau pour la pérennité des pontages coronaires. Petites artères du même calibre que les coronaires, elles circulent latéralement derrière le sternum. Elles aussi, on peut les prélever, les dériver ; leur absence est compensée par une circulation collatérale qui irrigue le sternum. Mais lorsqu'il était nécessaire de faire des pontages multiples, en raison d'un manque de longueur des greffons mammaires, ces pontages avec les artères mammaires étaient habituellement associés avec d'autres matériaux, des veines ou d'autres artères.

Août 2002. De garde à Paris. Je partageais mon temps entre la chirurgie, les urgences, la drague des Suédoises à la tour Eiffel et le cinéma. À cet instant, je regardais par-dessus l'épaule de Ramón ; il avait fini de disséquer les deux artères mammaires. Prélever les artères mammaires, c'était le rôle des jeunes chirurgiens. Ils se formaient ainsi à des gestes particulièrement délicats — et ils m'en déchargeaient — et, comme ils les répétaient, ils devenaient des experts pour ces dissections.

Donc, j'observais… Comment vous transmettre par écrit quelque chose que vous n'avez jamais vu, qui ne vous rappelle rien ? Si je décris un paysage d'automne à la montagne, même si vous n'avez jamais été l'automne à la montagne, vous allez vous en approcher par l'imagination, marcher avec moi dans le sous-bois humide tapissé d'aiguilles de pin, traverser les torrents, vous frayer un passage dans les pentes hérissées d'immenses mélèzes et plus loin de bouleaux aux feuilles d'or. Mais ici, j'ai du mal à vous montrer les deux fines artères mammaires que Ramón a disséquées et qui traversent le champ opératoire tendues et battantes. La gauche semble venir de sous la clavicule ; elle tombe tout de suite près du cœur, qui est plutôt à gauche, comme vous le savez ; elle pourra irriguer les vaisseaux qui circulent en avant du cœur. La droite, elle, part de loin, sous la clavicule droite, presque près de l'épaule droite ; elle doit traverser tout le champ opératoire vers la gauche, passer sous l'aorte et, si sa longueur est suffisante, elle ne pourra vasculariser qu'un vaisseau situé à la face latérale du cœur. Pour le reste, tous les vaisseaux situés derrière le cœur, il faudra utiliser d'autres greffons. C'est justement ce que Ramón s'apprête à faire dans la chaleur de cet après-midi d'été (la climatisation a souvent tendance à accompagner la saison, froide l'hiver, chaude l'été — j'ai connu un chirurgien, à New York, qui, lorsque la chaleur devenait insupportable, asséché et désespéré par une machine fantaisiste, faisait construire un mur de glace derrière lequel il plaçait un ventilateur qui soufflait le vent frais salutaire).

Ramón a donc l'intention d'utiliser une artère radiale, prélevée à l'avant-bras du patient, pour allonger l'artère mammaire droite. Je n'aime pas les artères radiales — vous me direz : et alors ? C'est que les artères radiales n'ont pas donné les résultats qu'on espérait ; elles ont tendance à se boucher, soit précocement après l'opération, soit plus longtemps après, probablement à cause de la structure musculaire de leur paroi. Je n'aime pas les artères radiales parce qu'elles obligent à laisser une cicatrice à l'avant-bras, juste à l'endroit où certains ont porté des numéros.

Je regarde Ramón, pensif, et je vois le trajet de son artère mammaire, qui part, disons, de l'épaule droite jusqu'à la ligne médiane du champ opératoire — presque une dizaine de centimètres. Dix centimètres de trop. Mon regard va et vient de Ramón à ces centimètres inutiles en amont, qui manquent en aval…

Moi : « Ramón, on va couper l'artère mammaire droite à son origine. Et on va la coudre à la mammaire gauche, juste à l'endroit où celle-ci passe près de la face latérale du cœur. »

Ramón : « On va gagner les dix centimètres qui nous manquent. La mammaire droite pourra revasculariser toute la face postérieure du cœur avec ce montage en Y à l'envers. »

Moi : « Exactement. »

Ce que nous fîmes.

Ce jour-là, le patient put recevoir cinq pontages : deux en avant du cœur, trois sur sa face postérieure, avec les deux artères mammaires exclusivement. Au-delà du plaisir de toucher à la solution — temporaire, peut-être — d'un problème de stratégie opératoire, au-delà du plaisir d'un accomplissement utile pour le patient, c'est à une position d'artisan que je dois d'avoir éprouvé, parfois, mais rarement, ce sentiment jubilatoire du travail bien fait, de la belle ouvrage. Faire du beau et le faire disparaître, le rendre invisible, réaliser une œuvre secrète, enfermée, construite dans le rythme de l'opération, à la faveur de l'expérience, de la confrontation ancienne à ce qui résiste, et d'une maturation que l'attitude ouverte de celui qui est pensif, plus que le repli de la pensée, peut produire — voilà, je crois, ce qui m'a tant intéressé toutes ces années.

Ainsi pouvait-on multiplier les pontages, revasculariser le cœur le plus complètement possible, avec ce matériau idéal. Je n'inventai pas cette technique. Elle avait déjà été décrite des années auparavant par un chirurgien américain nommé Tector. Mais Tector avait été trop en avance ; on ne sut pas comment l'imiter ; en particulier, à l'époque, on ne maîtrisait pas la technique des pontages séquentiels — l'artère mammaire, posée à la surface du cœur, et cousue de loin en loin aux artères coronaires qu'elle croise. Je retrouvai sa technique, et surtout je compris qu'on pouvait l'utiliser pour tous les patients qui avaient besoin de pontages multiples. Tous, les jeunes, les vieux, les très vieux, les maigres, les obèses, les diabétiques... La technique devint routinière, elle s'en trouva simplifiée. Très vite, cette méthode qui permettait d'aller jusqu'à six, sept pontages se diffusa dans la plupart des équipes, voisines et plus lointaines, par l'intermédiaire des résidents, jeunes chirurgiens qui ont souvent le rôle de passeurs du savoir-faire dans notre métier.

Pour les coronaires comme pour la chirurgie du cœur en général, la suture la plus utilisée, la plus naturelle, c'est le surjet. Une couture continue, bord à bord, avec un fil très fin, à peine visible. Dans les séquences de suture, chacune doit laisser passer le sang, sans ralentir le débit ; le trajet du greffon doit être harmonieux — tout cela ne souffre aucune imperfection.

Depuis un siècle, et malgré beaucoup d'efforts et de recherche, aucune machine à coudre n'est venue remplacer la main du chirurgien pour effectuer des sutures délicates. Certains robots ont été développés ; ils ont cependant un important inconvénient : ils n'ont pas de sensibilité proprioceptive, cette propriété qui fait que, lorsque la main prend un objet, elle en perçoit la qualité, le poids, la tension éventuelle, la forme, la rugosité, la température… La main n'est pas remplacée non plus par une machine lorsqu'il s'agit de faire des nœuds. Arrêter les fils, les couturières le font en un tournemain. Les chirurgiens aussi. C'est l'une des premières choses qu'on apprend. Bloquer les fils avec un nœud, en passant la boucle dans un sens, puis dans l'autre — je n'ai pas vu d'instrument qui imite cette habileté unique de la main.

Les patients vous sont reconnaissants de la belle cicatrice — si elle est belle — que vous leur avez laissée. Pierre, un ami que j'avais opéré — mais j'oubliais d'ailleurs qu'il m'était arrivé de l'opérer, comme j'oublie les opérations que j'ai réalisées sur des proches, tant le monde de la chirurgie est pour moi séparé du monde quotidien —, Pierre me disait combien il admirait le travail de couture délicat qui n'avait laissé qu'un trait fin sur sa peau, presque disparu un an plus tard. Je lui répondis : il y a deux raisons pour lesquelles je me sens peu concerné par la discrétion de ta cicatrice. Tout d'abord, les peaux : certaines cicatrisent bien, peu à peu le trait devient invisible ou presque ; d'autres créent des traces disgracieuses, par intolérance aux fils, phénomènes inflammatoires, quelle que soit la façon dont elles ont été recousues. Mais surtout, cette intrusion qui consiste à inciser la peau, insupportable atteinte à l'intégrité du corps pour l'imagination, n'est habituellement pas résorbée par le chirurgien. Au moment où la peau est recousue, le chirurgien a déjà rejoint son bureau, il donne des nouvelles à la famille, se repose, déjeune, ou vaque à d'autres occupations. La fermeture — comme l'ouverture — du thorax est parfois réalisée par l'aide opératoire. Quant à la peau, le plus souvent c'est l'instrumentiste qui la recoud, et il ou elle le fait très bien. On félicite le chirurgien : en recousant la peau avec soin, il aurait eu un geste de gentillesse, d'affection, d'humanité même, rendant à cette personne son aspect antérieur. Les coutures en profondeur — celles qui incombent au chirurgien — sont moins sujettes à discours. Elles ont simplement participé à la réparation des lésions, à la remise en état de la mécanique. C'est elles, l'œuvre enfermée.

Étrange originalité dans l'espèce animale, les chirurgiens se prolongent dans le corps des patients par leurs mains. Je n'irai cependant pas dire que les chirurgiens opèrent avec leurs mains, comme si on voulait prétendre que les boxeurs combattent avec leurs poings. Je ne suis pas sûr que tu me suives bien, Simplicio, à voir tes yeux étonnés.

Les mains des boxeurs, cabossées par les fractures des métacarpes, confinées dans la sueur sous les bandages, sont les plus douces ; ceux, celles qui les ont caressées le savent.

Ce fut pour moi un choc lorsque, à un âge adulte confirmé, je compris que je ne serais jamais boxeur. Cette possibilité avait habité un coin de mon esprit, jusqu'à cette minute où, conversant avec André Pierre, ancien boxeur professionnel reconverti dans la psychanalyse, je réalisai cette évidence. Ça m'avait pris à l'estomac, comme un coup dans le plexus, ce renoncement. Oui, c'est le renoncement qui m'avait plié en deux — à un projet toujours présent, sans que je ne me le sois jamais vraiment formulé.

Mon père m'avait interdit la boxe. Et comme j'y allai quand même, adolescent, il me présenta un ancien boxeur qu'il avait connu dans sa jeunesse pour me montrer combien son esprit avait souffert, son élocution était ralentie. Nous lui avions rendu visite dans le garage où il lavait les voitures. Son air calme et détaché, ses gestes lents, sa tête carrée, sa cicatrice au coin de l'œil, ses pommettes et ses arcades sourcilières épaissies étaient les traces de confrontations radicales, où l'on paie comptant, où l'addition s'inscrit directement sur la face, sur la peau.

Pour nous, au club des sports, c'était trois rounds de trois minutes. Une éternité pour moi qui, après quelques secondes, avais compris que, quoi que je fasse, je ne parviendrais pas à mettre en difficulté le type en face de moi, plus long, plus rapide, dont chaque coup faisait mal, me propulsait dans un univers sablonneux. La tension. Une tension extrême, épuisante. Là, toute tentative, toute recherche d'une solution pouvait déclencher en retour un éclair — véritable empirisme.

Me revient, aussi, la sensation de honte, la honte de prendre des coups. Tout ça pour espérer trouver — retrouver ? — un enchaînement magique, une sorte d'achèvement parfait dans l'arrondi des coups, à la recherche d'un geste ancien, archaïque, essentiel. On pourrait se faire casser la gueule définitivement pour quelques secondes surnaturelles.

Autant que je me souvienne, chaque fois qu'un crochet

partit ou arriva comme je l'espérais, je me fracturai le cinquième métacarpien de la main droite. Banalement droitier, ma gauche n'eut jamais cette ambition. Mes poings ne furent jamais lourds. Sachant cette légèreté, lorsque j'eus à me battre en dehors de ce contexte — de rares fois —, j'y mis la tête. Ça aida.

De la boxe... Dans son livre sur « la douce science des coups », Joyce Carol Oates évoque Tommy Loughran, poids mi-lourd des années 1927-1929, en particulier la faiblesse de sa droite, qui a peut-être été le secret de sa carrière : parce que sa main droite se brisait facilement, il ne l'utilisait qu'une fois par combat — pour le coup fatal. S'il perdait son crochet, il était fichu, il le savait. La main gauche faisait le travail, couvrant la droite puissante et fragile.

Concentré sur cette difficulté technique, Tommy Loughran se décalait de la tension, de la peur. Calcul nécessaire à la mise à distance du drame du combat.

« La peur, ta meilleure conseillère », disait Cus d'Amato à Mike Tyson adolescent. Cependant, la peur vous use, les coups aussi, pas tant ceux qu'on prend, ni ceux qu'on donne — qui sont, eux, plutôt revigorants —, mais ceux qui partent dans le vide. Ceux-là aggravent la fatigue.

J'ai toujours connu la fatigue, comme tout le monde d'ailleurs, avec des pics d'intensité. La fatigue éprouve l'espèce humaine. Souvent le corps s'alourdit, parfois il s'allège, la perception du sol changeant sous les pieds, comme si une couche d'air s'interposait entre le macadam et les semelles. Sensible et étrangement douloureux, c'est ainsi que mon corps se rappelle à moi, lorsque, sortant d'une urgence aux petites heures du matin, je marche somnambule pour atterrir et me libérer de ce vertige doux. On n'en peut plus, mais quand on n'en peut plus c'est qu'on peut encore, qu'il y a un restant, que cette fatigue est consentie. Elle fournit aussi sa part de plaisir, ne serait-ce que par cette présence nouvelle du corps transformé.

Intimité du chirurgien et de la fatigue. Jeune interne, je travaillais dans le laboratoire de chirurgie expérimentale. N'ayant aucune habitude de la pratique, ma tâche consistait à aider le chirurgien expérimentateur, en l'occurrence, ce jour-là, à transplanter le poumon d'un mouton sur un autre mouton pour étudier des phénomènes de tolérance biologique. Ce n'était pas une opération facile : il fallait suturer les bronches, les artères, les veines, tout cela au fond du thorax de l'animal. Claude reçoit un coup de fil : une urgence, un malade qui ne peut attendre. Il a déjà enlevé sa casaque, enfilé une blouse : « Fais ce que tu peux. » Et il disparaît. Je tenais à la faire, cette opération, mais aucun des gestes que j'eus à entreprendre ne m'était familier, aucune coordination naturelle, aucun enchaînement routinier. Que du neuf. Le mouton survécut quatorze jours, je m'en souviens très bien. Ce dont je me souviens, surtout, c'est l'état de fatigue avancée, rare, que je ressentis le soir lorsque je racontai mon exploit.

Éric Hazan — qui, courageux, ne disait jamais non quand on lui demandait d'effectuer des opérations impossibles sur des enfants gravement atteints —, Éric me confia un jour, alors qu'il travaillait sans relâche à l'un de ses manuscrits : « Je n'ai plus jamais ressenti cette fatigue avec laquelle je vivais lorsque j'étais chirurgien. »

Cette fatigue-là est l'effet d'une tension qu'on peut rapprocher de la peur, du trac — je pense à Sonia qui vomit avant de jouer une *Suite* de Bach, divinement —, de l'anxiété qu'on ressent en montagne, et qui vous use. Les veilles d'opération ne ressemblent jamais, pour moi, aux veilles des jours où je n'opère pas — qui ressemblent, elles, à des vacances. La fatigue est l'effet du doute sur l'issue de la confrontation, mais aussi sur tout ce qui entoure le geste, tout ce qui ne dépend pas de moi et peut influer sur le destin du patient, et plus encore sur tout ce qui dépend de moi et qui va peser sur cet acte. Je suis là, au centre de ce réseau, avec l'incertitude qui fatigue, jour après jour.

Chirurgien thoracique, Georges déclarait, relevant la tête du champ opératoire, théâtralement : « J'abandonne ! » Sûr de son effet, il attendait que les regards se tournent vers lui, implorants. Abandonner, bien entendu, il n'en était pas question. C'était sa façon d'entrer dans la fatigue et de l'accepter, de la faire sienne, de jouir de l'énergie restante, d'en transmettre aux autres, aussi. Il relevait la tête comme certains boxeurs baissent la garde et, les yeux dans ceux de l'adversaire, le buste en arrière, rompent le rythme, en fusion avec la fatigue.

Moins longues, plus précises, mieux réglées, moins incertaines et plus prévisibles : les opérations du cœur sont beaucoup moins fatigantes aujourd'hui. Les mauvaises surprises sont plus rares et cette rareté participe à l'apaisement et à la sérénité en salle d'opération et dans le service de réanimation.

L'expérience se transmet plus facilement à travers un langage commun qui ne confond plus l'analyse clinique factuelle et les suppositions incertaines de la physiopathologie.

La tension se relâche un peu. Un coup d'œil en arrière, et je saisis à quelle vitesse le temps a défilé. J'ai pris le train, et des parties de ma vie sont restées dehors. Je les ai vues, fugitives, par la fenêtre.

Les matins m'ont échappé : je dormais pour récupérer des efforts de la veille ou bien — presque toujours — je filais aux aurores. Réveil quotidien douloureux, contre nature pour un homme du soir.

J'ai rencontré un chirurgien, à Palerme, qui pleurait au réveil, assis au bord du lit, sous le regard embrumé de sa femme, avant de se décider à faire un premier pas.

Le temps qui passe, lentement, aléatoire, sans but, où j'aurais été disponible à moi-même, aux autres, à mes proches pour qui j'ai ressemblé parfois à un coup de vent, la sensation de ce temps-là, substantiel, que j'aurais pu goûter, m'a échappé, tant j'ai été accaparé par ce fond d'inquiétude, cette tension permanente. Drogué au stress — ça doit être ça.

Un grand écrivain me disait qu'il s'était toujours senti en vacances. Je compris comment, chez lui, la capacité de créer, l'espace pour la contemplation, le courage d'éprouver l'ennui ne formaient avec le travail qu'un seul état.

Pour moi, le repos lui-même, antidote à la fatigue, était devenu une action. Je tenais l'ennui à bout de lance par le jeu du contraste de ces deux équivalents, repos et fatigue. Jusqu'à ce que je retrouve un sentiment oublié.

Nous étions partis en vacances dans les Pouilles.

« Tu verras, la mer est bleu turquoise, transparente, chaude, c'est une mer absolue, primitive. Tu n'aimes pas la plage ? Là, c'est différent. Ton corps desséché s'efface, tu en perds la sensation, tu es en lévitation entre la mer et le ciel. Tu vas trouver un repos cosmique, l'oubli complet de tout ce qui t'encombre, l'oubli de toi-même. Tu en as besoin. »

Nous nous étions installés, Em. et moi, dans une *masseria* fortifiée du XVIIe siècle entourée d'oliviers. Bâtiments imposants, aux murs épais, aux ouvertures parcimonieuses. Une grande cour rectangulaire — de ces cours d'abbaye, aux proportions parfaites, qui reposent l'œil, avec l'ombre, qui les contourne pendant la journée.

Quelque chose avait interrompu notre dialogue, que je ne parvenais pas à identifier, me disais-je en roulant à bicyclette vers Lecce, la ville baroque ensoleillée.

Était-ce l'échange vif que nous avions eu dans l'avion sur l'utilité de créer des bordels pour les femmes, comme il en existe en Hollande ou en Autriche, et je ne sais où pour les hommes ? « Les femmes, elles aussi, ont le droit… » J'étais agacé. J'avais perçu une provocation inutile et déplacée, alors que le pilote venait d'annoncer une chute brutale de la pression dans la cabine et que nous risquions à tout moment de heurter une barge lors de l'amerrissage.

Non. C'était oublié, déjà.

Était-ce, alors, que je sentais qu'elle avait, une fois de plus, renoncé à quitter les services secrets ? On ne quitte pas les services secrets d'un seul coup, pas plus qu'on ne saute d'une voiture en marche, même si le chauffeur prend un itinéraire aberrant dans Beyrouth endormie. Je voulais l'écarter de cette constante sensation de danger, comme une odeur dont on ne se débarrasse pas — mais je savais que son éloignement des services secrets ne pourrait être que progressif, qu'il nécessiterait au moins autant de patience, de courage et de sang-froid que ses missions les plus hasardeuses.

Mais il n'y avait là rien de nouveau : je ne voyais pas matière à interrompre notre dialogue d'habitude si facile et spontané… Et surtout, Em. n'était pas, que je sache, un agent des services secrets de Sa Majesté. Simplement secrète ; partant parfois pour moi dans d'étranges contrées.

En vérité, nous n'étions pas d'accord sur les modalités de la réforme en cours de la Sécurité sociale, et la discussion, à notre arrivée à la *masseria* San Giovanni, avait mal tourné.

J'avais laissé mon vélo à l'une des portes de la ville et je vaguais, le nez en l'air, à admirer les façades. La Sécurité sociale, oui, certainement… Car ce n'était pas non plus le lit, dans notre chambre étroite, menaçant de s'écrouler au moindre mouvement, qui provoquait cette humeur maussade. D'ailleurs, je n'étais pas de mauvaise humeur. Une tout autre sensation m'avait envahi, que j'identifiai brusquement : l'ennui. J'avais rejoint cette zone très particulière qui me venait de l'enfance, très différente de la déprime, de la mélancolie et de l'angoisse. Le retour de l'ennui ! L'ennui essentiel, l'ennui cotonneux, sans cause, sans remède, à qui je ne savais fausser compagnie.

J'entrai dans une boutique à la recherche d'un peu de fraîcheur. Derrière le comptoir, deux femmes s'engueulaient fort en *pugliese* et, malgré ma curiosité, je ne saisissais rien du sujet de cette scène. Je déambulai dans cette papeterie à l'ancienne, parmi les articles de calligraphie, les crayons, les papiers de toutes sortes. Une pile de cahiers attira mon regard, à la couverture souple, avec des arabesques marron et rouge foncé, aux pages lignées. Assez fins, ils étaient confortables, ces cahiers : je pouvais en rouler un dans ma poche. Ils me plaisaient, à la vue et au toucher, un peu comme une bonne prise que l'on perçoit tout à coup en escalade. J'en achetai dix. Les deux femmes me regardèrent étonnées, elles m'en firent un paquet, auquel j'ajoutai quelques stylos. À travers la touffeur des rues désertes, les volets clos, les façades d'une blondeur tendre, je traversai la ville et repris mon vélo.

Je voulais m'asseoir, et écrire. Retrouver l'ombre dans la cour rectangulaire.

Achevé d'imprimer
par l'Imprimerie Floch
à Mayenne, le 16 novembre 2009.
Dépôt légal : novembre 2009.
Numéro d'imprimeur : 74837.

ISBN 978-2-207-26167-5/Imprimé en France.

170581